Y0-BCT-037

성경대로 비즈니스 하기

P31

성경대로 비즈니스 하기 P31

지은이 · 하형록
초판 발행 · 2015. 05. 26
46쇄 발행 | 2016. 1. 7.
등록번호 · 제1988-000080호
등록된 곳 · 서울특별시 용산구 서빙고로65길 38
발행처 · 사단법인 두란노서원
영업부 · 2078-3333 FAX 080-749-3705
출판부 · 2078-3331

책 값은 뒤표지에 있습니다.
ISBN 978-89-531-2218-5 03230

편집부에서 독자의 의견을 기다립니다.
tpress@duranno.com http://www.Duranno.com

두란노서원은 바울 사도가 3차 전도여행 때 에베소에서 성령 받은 제자들을 따로 세워 하나님의 말씀으로 양육하던 장소입니다. 사도행전 19장 8-20절의 정신에 따라 첫째 목회자를 돕는 사역과 평신도를 훈련시키는 사역, 둘째 세계선교(TIM)와 문서선교(단행본·잡지) 사역, 셋째 예수문화 및 경배와 찬양 사역, 그리고 가정·상담 사역 등을 감당하고 있습니다. 1980년 12월 22일에 창립된 두란노서원은 주님 오실 때까지 이 사역들을 계속할 것입니다.

성경대로 비즈니스하기 P31

Proverbs 31

하형록 지음

contents
P

PART 2

하나님 기업의 성공 전략, 잠언 31장(P31)

PART 4
하나님이 일하시는 기업 만들기

에필로그

추천사

하형록 목사와의 만남은 주님이 하신 일이었다. 믿어지지 않을 정도로 신비한 인도하심이었다. 2013년 9월 미국 집회를 위하여 출국하려고 인천공항에 도착해 비행기 탑승을 앞두고 기도할 때, 주님은 분명히 "하나님 나라의 사람을 만나라"는 마음을 강하게 주셨다. 주님의 말씀이 특별해서 왠지 특별한 여행이 될 것 같다는 생각을 했다. 미국에 도착한 첫 일정이 애틀랜타 기독교 방송국에서 인터뷰를 갖는 것이었는데, 방송국장과 대화하던 중 '하나님 나라의 사람'이라고 추천할 만한 사람이 있느냐고 물었다. 그러자 그가 한참을 생각하더니 팀 하스(Tim Haahs)라는 한국계 미국 실업인 이야기를 했다. 한국 이름이 하형록인 이 분은 미국 주차 빌딩 설계와 컨설팅업체인 팀하스(TimHaahs)의 창업자로서 오바마 연방 정부로부터 국립건축과학원의 이사로 임명된 분이라고 했다. 특이한 것은 그는 목사이며 KBS-TV의 프로그램인

〈글로벌 성공시대〉에 소개된 분이기도 하다는 사실이었다.

방송국장은 자신이 만나 본 사람 중 이 분처럼 놀라운 신앙의 사람은 없었다면서, 그 사람을 꼭 만나고 가라고 했다. 순간 '이렇게 빨리 응답해 주시는가?' 하는 마음에 매우 흥분했지만 그가 필라델피아에 산다는 말에 마음을 접어야 했다. 일정상 도저히 만나러 갈 수 없었기 때문이다. 그런데 미국 집회 일정을 마친 마지막 날, 그 사람을 기적처럼 만났다.

워싱턴 인근을 안내해 주겠다던 집사님이 운전하면서 대학 동창에 대해 이야기하는데 그가 바로 팀 하스였다. 그런데 놀랍게도 그가 미 연방정부 회의에 참석하려고 지금 워싱턴에 와 있다는 것이었다. 더구나 집사님이 그를 만날 수 있도록 주선해 줄 수 있다고 했다. 그렇게 해서 미 연방정부에서 중요한 회의 중이던 하형록 목사와 순탄히 연락도 되고 흔쾌히 만날 약속도 되어 결국 백악관 근처에 있는 한 호텔에서 만나게 되었다.

만나 보니 정말 놀라운 하나님의 계획이 있었음을 깨달았다. 그는 단순히 성공한 실업인이 아니었다. BAM(Business as Mission) 사역을 가장 놀랍게 이루고 있는 분이었고, 기업 경영을 철저히 성경 말씀과 성경적인 원리대로 하면서 미국에서 가장 탁월한 기업을 이루어 낸 사람이었다.

KBS-TV〈글로벌 성공시대〉에서 이 분에 대해 방영했지만, 이 분의 경영 성공의 가장 중요한 요인인 성경적 경영 원리와 하나님 나라에 대한 헌신 부분은 방송국 방침상 뺄 수밖에 없었음도 알게 되었다. 그리고 하나님께서는 이 부분에 대해 한국에 전하기를 원하신다는 것을 깨달았다. 그 내용이 이 책에 고스란히 담겨 있다.

이 책을 읽는 이들은 그에게 쏟아 부어 주신 하나님의 은혜에 깊은 감동을 받을 뿐 아니라, 성경적인 삶과 기업 경영에 대한 확신을 갖게 되고 놀라운 지혜를 얻게 될 것이다.

유기성(선한목자교회 담임목사)

도대체 어떤 사람이 자기 일터에 신앙과 비즈니스라는 두 가지 영역을 동시에 들여놓을 수 있을까? 도대체 어떤 사람이 두 번의 심장이식 수술을 받고도 하나님께 감사를 올릴까? 도대체 어떤 사람이 잠언 31장을 회사의 핵심 비전으로 내걸고 신입 직원 오리엔테이션에서 이를 강조할까? 도대체 어떤 회사라야 고객이 더 나은 사람이 되기 위해서 그 회사에 일을 의뢰하는 걸까? 도대체 어떤 사장이 직원들더러 자선단체에 가입하여 지역 공동체에 헌신하라고 격려할까?

바로 팀 하스(Tim Haahs)다. 그는 개인적인 삶과 비즈니스 양면에서 복음으로 살아 내기 위해 애쓰는 사람이다. 그는 크리스천으로서의 부르심과 비즈니스맨으로서의 소명을 도무지 분리하여 생각할 수 없는 사람이다. 그의 성공은 비즈니스를 하면서도 하나님을 신실히 섬길 수 있음을 증거하고 있다.

이 책은 다방면에서 기적을 보여 주는 책이다. 이 책은 하나님이 팀 하스의 개인적인 삶과 사업에 쏟아 부어 주신 축복을 증거한다. 두 번의 심장이식 수술을 겪고도 실로 풍성한 생을 살아낸 그의 삶은 배울 점투성이다. 이 책은 또한 하나님과 사람을 사랑한 팀 하스의 두 개의 심장에 대한 책이다. 이 사람의 가슴 벅찬 이야기를 기독교 간증뿐 아니라 지혜로운 인생 가이드로 추천하고 싶다.

프랭크 제임스 3세(Frank A. James III, Biblical Theological Seminary 총장)

팀의 인생 스토리는 눈을 뗄 수 없을 만큼 독특하다. 그의 굽히지 않는 영적 믿음은 풍성하게 비축된 사랑과 인내, 이해에서 비롯된다. 그의 간증과 신념은 그가 아버지로서, 목회자로서, '팀 하스'(TimHaahs)의 회장으로서 정도를 걷는 데 마르지 않는 원천이 되었다.

조지 슈미트하이저(George Shmidheiser, Temple University 전 건축설계국장)

팀 하스는 절대 다수의 미국적 비즈니스 풍토를 거슬러서, 성경적인 믿음과 가치에 뿌리를 두면서도 업계를 선도하는 놀라운 기업을 이루어 냈다. 하나님의 치유와 구속을 경험한 후, 하나님과 이웃을 향해 헌신하게 된 라이프 스토리는 실로 놀랍다! 팀과 일하고 난 후에야 나는 사업과 신앙이 상생할 수 있으며, 탄탄하고 수익성 있는 비즈니스를 일궈 나가는 가운데서도 하나님께 영광을 돌릴 수 있다는 사실을 믿게 되었다.

데이브 기니스(Dave Geenens, Benedictine College 경영대학장)

수많은 사람이 의미 있고 비전적인 삶을 살기를 원한다. 그러나 불행하게도 매우 소수의 사람만이 그런 특권을 누린다. 오랫동안 지켜보고, 함께 걸어온, 내가 아는 하형록 회장은 하나님의 사람임에 틀림없다.

황삼열(전 미국 CBMC 이사장)

다큐멘터리 제작을 위해 수많은 사람을 만나 보았지만, 하형록 회장은 특별한 분이었다. 두 번의 심장이식 수술은 그의 심장만 바꾼 것이 아니라, 생각의 뿌리부터 삶, 비즈니스까지 완전히 바꿔 놓았다. 그는 남을 돕기 위해 일한다면서 기뻐한다. 역설 같은 그의 삶과 비즈니스가 담긴 이 책을 호기심에서 감탄으로 읽게 될 것이다.

정태일(다큐멘터리 PD)

팀 하스가 그의 평범한 삶과 비즈니스를 하나님께 드렸을 때 하나님은 비범한 성공으로 되돌려 주셨다. 팀 하스의 성공과 인정이 하룻밤에 이뤄진 별나라 이야기처럼 들린다면 큰 오해다. 그는 지독한 시련을 이겨 냈고, 그 결과 풍성한 축복을 받았다. 이 책에서 그의 성공 비법을 읽어라.

데이비드 오(David Oh, 필라델피아 시의회의원)

'팀하스'는 전담 핵심 디자인 팀을 가지고 고객 만족에 적극적으로 나선다. 이것이 성공의 원동력이라고 생각한다.

윌리엄 미셸루디스(William Micheludis, Merck Pharmaceutical Company 프로젝트 매니저)

팀 하스는 독보적인 리더다.

로버트 바슬로메이(Robert Bartholomay, Merck Pharmaceutical Company 전 시설국장)

'팀하스'는 믿을 수 없을 정도로 탁월함을 추구하는 회사다. 고객과 직원들을 최고의 존중과 존경으로 대한다. 모든 회사가 '팀하스'의 모델을 배우기 바란다.

잭슨 킴(Kim E. Jackson, Princeton University 운송국장)

팀 하스를 알게 된 것을 하나님께 감사하게 될 것이다. 그는 보기 드문 원석이다. 기독교 신앙으로 인한 그의 진실한 사랑과 하나님이 부여한 달란트의 이야기에 감동할 것이다. 그의 이야기를 듣고 있자면 우리 또한 선한 영향력을 미치는 삶을 살아 내야 할 것 같은 확신에 이르게 된다.

완다 브라운(Wanda Brown, University of California Davis Medical Center 전 주차교통국장)

팀 하스는 배려와 연민을 갖춘 모범적인 신앙인이다. 팀하스를 설립한 1994년부터 비즈니스와 개인의 삶에 동일한 기준을 적용하고자 한 그의 헌신된 노력을 목격한 것은 내겐 특권이었다.

미빈 걸스타인(Marvin Gerstein, Temple University 전 건축기획국장)

팀은 아주 겸손한 사람이다. 그는 세상 꼭대기에 앉아 아랫사람을 내려다보지 않고 사회 각 계층의 사람들과 함께 걷는다.

도로시 해리스(Dorothy Harris, Denver International Airport 항공부장)

'팀하스' 건립 초기에 함께했던 직원으로서 자신 있게 증언하건대, 더 높은 목적을 향해 일하자는 '팀하스'의 이타적인 기업 강령은 조직 단합에 크게 일조했다. 매일 일터 가운데 적용되는 성경 원리야말로 '팀하스' 성공의 핵심 비결이다. 조직이 뭉치는데 비즈니스가 성공하지 않을 수 없다.

엘리자베스 현(Elizabeth Hyun, 팀하스 전 프로젝트 매니저)

팀은 타인을 섬기는 기업 문화 형성에 매진한 사람이다. 그의 섬김으로 인해 많은 이들의 삶이 근본부터 달라졌다.

로미 발레라(Roamy Valera, 팀하스 전 부사장)

나는 오직 성공을 위해 달리던 한 젊은이가 심장이식 수술로 두 번째 삶의 기회를 얻은 뒤 전혀 다른 삶을 추구하는 모습을 다 지켜보았다. '팀하스'를 설립하는 순간부터 그는 머리보다는 마음으로 회사를 경영했으며 성경을 그 발걸음의 빛으로 사용했다. 그의 비전과 리더십은 '팀하스'의 직원들이 각기 최고의 기량을 낼 수 있는 원동력이 되고 있다.

페트로닐로 놀리 알라콘(Petronilo Noli Alarcon, 팀하스 부사장)

하나님을 신뢰할 때 우리가 원하는 모든 것을 주시지는 않더라도, 우리에게 필요한 모든 것은 더해 주신다고 믿는다. 이 믿음이 '팀하스'에 입사한 이유였다. 나는 당시 어려운 고비를 넘기고 있었는데, 전화 한 통으로 내게 필요한 것을 받았다.

돈나 플로이드(Donna Floyd, 팀하스 마케팅 코디네이터)

팀 하스의 직원들을 향한 사랑과 지지야말로 내가 암 투병을 견뎌 내는 큰 힘이 되었고 지금도 그러하다. 내가 이 회사의 직원이라는 사실에 영원히 감사할 것이다.

비키 개글리아노(Vicky Gagliano, 팀하스 선임 주차컨설턴트)

'팀하스'의 사명은 직원들의 행동과 태도에 고스란히 배어 있다. 직원들의 모든 행위에 깃든 이 문화가 좋다.

크리스 그레이(Chris Gray, 팀하스 프로젝트 매니저)

'팀하스'에서 일하는 즐거움 중 하나는 나의 업무가 도움을 필요로 하는 이들에게 도움을 줄 것이라는 사실을 아는 것이다.

김남현(팀하스 프로젝트 디자이너)

'팀하스'의 CEO 및 직원들에게는 미국의 기업에서는 찾아보기 힘든 동지애와 가족적인 분위기가 있다. 나는 '우리는 어려운 이들을 돕기 위해 존재한다'는 '팀하스'의 조직 강령이 좋아서 마케팅 보직에 지원했다. '팀하스' 사람들은 지성적이면서도 헌신적이고, 옆 사람을 살피며, 언제든 도움을 줄 준비가 되어 있다.

레이첼 파웰(Rachel Powell, 팀하스 프로포절, 마케팅 코디네이터)

팀 하스는 단순한 관계 형성에 그치지 않고 지속적인 관계와 성장에 관심이 많은 사람이다.

조나단 래핀(Jordan Rappin, 팀하스 프로젝트 엔지니어)

'팀하스'와 같이 자선과 이타심을 강조하는 조직의 일원이라는 것이 자랑스럽다. 팀의 모범을 따라 우리는 언제든 필요로 하는 이들을 도울 뿐 아니라 그 이상도 할 수 있도록 격려받고 있다.

폴 앤토시(Paul Yantosh, 팀하스 프로젝트 엔지니어)

'우리는 어려운 이들을 돕기 위해 존재한다'라는 기업 강령에 이끌려 '팀하스'에 입사했다. 이 사명은 내가 더 나은 사람이 되도록 하였고, 또한 개인적, 직업적 성공의 새 기준을 갖는 기회가 되었다. 팀은 내게 가진 이들은 덜 가진 이들을 도울 의무가 있다는 믿음을 불어넣어 주었다. '팀하스'에서 일한 경험 덕분에 나는 현재 한 커뮤니티에서 가장 취약한 이들을 섬기겠다는 사명을 가지고 일하고 있다.

짐 줄로(Jim Zullo, 팀하스 전 부사장)

20년간 '팀하스'에서 일하면서 다른 곳에서는 볼 수 없는 경영 철학과 리더십의 정의를 배웠다. 우리에게는 '옳은 일을 하는 것'이 일상에서 매우 중요한 일과가 되었다. '옳은 일'은 사내 관례를 넘어서서 직원 개인의 삶에도 적용되는 기준이 되고 있다.

토드 헬머(Todd Helmer, 팀하스 부사장)

'우리는 어려운 이들을 돕기 위해 존재한다'라는 '팀하스'의 기업 강령은 다양한 면에서 실제적이다. '필라델피아 형제구제 미션'(Philadelphia Brotherhood Rescue Mission) 자선 조직 이사회의 일원으로서, 나는 '팀하스'의 자원을 통해 이 자선 조직이 노숙자들을 구제하고 그 삶을 재건하는 모습을 똑똑히 목격했다.

황선희(팀하스 선임 엔지니어)

'팀하스'만의 독특한 기업 문화는 직원들이 직업적으로나 영적으로나 풍성한 삶을 살 수 있도록 하는 환경이 되고 있다.

애슐리 맥휴(Ashley McHugh, 팀하스 인사팀장)

우리는 스스로 좋아하는 일을 할 뿐 아니라 상대의 일까지도 좋아한다. 여기에는 큰 차이가 있다. 스스로 좋아하는 일을 하면 자신만 섬길 뿐이지만, 이타심으로 그 일을 하면 남까지 섬기게 된다. 그게 우리가 주어진 일 이상으로 섬기는 이유다.

후안 라모스(Juan Ramos, 팀하스 프로젝트 디자이너)

팀 하스와 그가 하는 일을 목격하는 것은 인생의 강을 건너는 경험과 같다. 이 고요한 강에서 일어나는 모든 숨결로 인해 나는 하나님이 누구신지, 그리고 그분으로 인해 나는 누구인지를 알게 되었다.

김미라(팀하스 커뮤니티 개발 담당)

아버지는 가정, 교회, 사업이 전체적으로 맞물려 움직일 때에만 우리 삶이 완전해진다고 믿는 분이다. 그분의 딸로서 살면서 아버지의 이런 가치가 삶에서 나타나는 것을 보았고, 그로 인해 아버지의 발길이 닿는 곳마다 삶이 변화되는 것을 보았다.

크리스티나 하스(Christina Haahs, 하형록 회장의 큰딸)

아버지는 당신이 가르친 대로 사는 분이다.

줄리아나 하스(Julianna Haahs, 하형록 회장의 작은딸)

prologue

세상의 고속도로에서 하나님의 고속도로로

그날은, 아무런 사전 예고도 없이 내게 다가왔다. 1991년 10월의 어느 월요일, 여느 날처럼 나는 아침 일찍 회사에 출근해서 직원들과 회의를 마치고 뉴욕에 있는 중요한 고객을 만나기 위해 사무실을 나섰다.

당시 나는 필라델피아 한인들 사이에서 아메리칸 드림을 이룬 사람으로 여겨지고 있었다. 열두 살에 미국으로 온 뒤, 명문인 유펜에서 건축학을 전공했고 미국의 유명 건축 설계 회사에 들어가 29세의 젊은 나이에 회사 중역이 되었다. 총명하고 아름다운 여인을 아내로 맞이한 행운아였고 아내와 나를 골고루 닮은 두 딸의 아빠이기도 했다. 33세의 빛나는 청년이었던 나는 열정적으로 일에 몰두하며 마치 나를 위해 예비된 것만 같은 세상에서 부와 명예, 행복을 향해 전속력으로 달리고 있었다.

그런데 바로 그 월요일, 완벽해 보이던 내 삶이 물거품처럼 한 순간에 무너졌다.

이상한 징조를 처음 느낀 것은 뉴욕으로 가는 고속도로 위에서였다. 필라델피아의 10월은 날씨가 상당히 싸늘한 편인데 나는 아침부터 계속 진땀을 흘리고 있었다. 하지만 평소에 건강한 편이라 '그냥 가벼운 몸살 기운이겠거니' 생각하고 계속 운전을 했다.

그런데 얼마 가지 않아 갑자기 눈앞이 아득해지면서 커다란 글씨로 쓰인 고속도로의 안내판이 잘 보이지 않았다. 눈을 비비며 애써 보려 했지만 그러면 그럴수록 눈앞이 점점 어두워져 갔다. 그러더니 한순간, 눈앞이 완전히 캄캄해졌고 나는 본능적으로 브레이크를 밟으려다 의식을 잃고 말았다. 차들이 쌩쌩 달리는 고속도로 위에서 시속 100킬로미터로 운전을 하던 멀쩡한 젊은 사람이, 갑자기 정신을 잃고 만 것이다.

시간이 얼마나 지났을까. 다시 정신이 들어 주위를 둘러보니 내 차는 3차선인 고속도로 한가운데에 멈춰 있었고 그 옆으로 차들이 쏜살같이 스쳐 지나고 있었다. 믿을 수 없는 그 광경을 잠시 멍하니 쳐다보던 나는 차를 고속도로 갓길로 끌고 나왔다. 그리고 차분히 생각하기 시작했다. 서서히 '고속도로에서 꼼짝없이 죽을 수도 있었던' 위험천만한 상황이 현실감으로 다가왔고, 그 순간 두려움이 엄습하며 온몸에 전율이 느껴졌다. 한 번도 상상해 보지 못한 낯선 상황 앞에서 나는 주님을 부르며 도움을 구했다. 그리고 마음을 가라앉히기 위해 조용히 찬송을 불렀다.

주 하나님 지으신 모든 세계
내 마음속에 그리어 볼 때
하늘의 별 울려 퍼지는 뇌성
주님의 권능 우주에 찼네

잠시 후 마음이 진정된 나는 서둘러 뉴욕으로 가서 고객과의 미팅을 마쳤다. 그리고 다시 차로 돌아오는데 이번에는 심한 현기증이 몰려왔다. 태어나서 처음 경험하는 이상한 증상들…. 다시 불안감이 몰려왔지만 '감기가 심해서 열이 오르는 것일지도 몰라' 하고 애써 위로하며 집으로 돌아왔다.

그런데 이번에는 가슴이 답답해 왔다. 좀 움직이면 괜찮을까 싶어서 마당에 나가 3시간 가까이 정원의 풀을 깎았다. 그렇게 땀을 흘린 뒤 샤워를 하고 다시 소파에 앉았는데 이상한 느낌이 사라지지 않았다. 그제야 내 몸을 살펴보기 시작했는데, 심장이 있는 왼쪽 가슴의 옷이 마구 떨고 있는 게 아닌가. 손을 대어 보니 옷이 떠는 게 아니라 그 밑에 있는 심장이 마치 무엇엔가 놀란 듯 세차게 방망이질하고 있었다!

나는 곧바로 병원에 전화했다. 전화를 받은 의사가 찬찬히 나에게 몇 가지 증상을 물어보더니 "지금 당장 가장 가까운 사람을 불러서 그 사람에게 운전을 하게 한 다음 병원으로 가라"고 다급하게 말했다.

그제야 아내에게 연락을 했고 아내의 전화를 받은 토마스(이동하 목사)가 달려왔다. 그가 운전하는 차를 타고 병원에 도착하자마자 나는 곧 수술실로 옮겨져 가슴에 심장박동을 조절해 주는 심박조율기(pacemaker)를 달았다. 심박조율기 자체를 몸 안에 넣는 수술을 한 게 아니라 기계는 밖에 두고 라인만 몸 안으로 넣어 심장에 연결하는 일종의 응급처치였다. 그게 끝나자마자 나는 곧바로 펜실베이니아대학(유펜) 병원으로 옮겨졌다. 그때 만난 사람이 심장전문의 하워드 아이젠 박사였다.

그는 나를 보자마자 입원을 시키고는 심장에 관한 온갖 정밀검사를 실시했다. 그렇게 2주간의 검사가 끝난 뒤 그는 "내 심장의 근육이 매우 약하고 심실빈맥(ventricular tachycardia)이라는 위험한 증상이 있다"는 사실을 전해 주었다. 심실빈맥은 심장이 불시에 빠른 속도로 계속 뛰는 증상을 말하는데 나중에는 호흡을 할 수 없게 되어 그대로 방치하면 숨이 막혀 죽는 무서운 병이었다. 내가 운전을 하다가 정신을 잃은 것은 바로 이 심실빈맥 때문이었다는 것이다.

'설마…!'

나는 고개를 저었다. 죽음의 문턱까지 갔다 오고도 나는 내 눈앞에 벌어진 현실을 믿을 수가 없었다. 나는 웬만큼 무리를 해도 잠시 눈을 붙이고 나면 거뜬해지는, 타고난 건강 체질이었다. 지칠 줄 모르는 불도저 같은 사람이었다. 그런 나의 몸속에서 생명을 유지하는 데 가장 중요한 심장이 죽어 가고 있었던 것이다!

그로부터 2년간, 나는 생명을 위협하는 절박한 위기의 순간들을 필사적으로 넘기며 하루하루를 살았다. 남들한테는 너무나 당연한 호흡이, 나에게는 값비싼 대가와 견딜 수 없는 고통 뒤에야 누릴 수 있는 것이었다. 나는 살아남기 위해 말씀을 붙들게 되었고, 주님은 그 말씀 속에서 나를 만나 주셨다. 그리고 생명의 주권이 주님 손에 있음을 깨닫게 하신 뒤, 세상적 명예와 성공을 따라가는 삶에서 돌이켜 '영혼을 섬기는' 삶으로 인도하셨다.

심장이식 수술을 마치고 다시 세상으로 돌아온 나는 잠언 31장의 말씀을 기초로 어려운 이웃과 영혼들을 섬기는 비즈니스를 시작했다. 그리고 20년이 지난 지금, 우리 회사는 미국 동부의 건축 설계 회사로는 능력과 수준을 인정받는 회사로 성장했을 뿐 아니라 미국의 젊은이들이 가장 일하고 싶어 하는 회사로 손꼽히는 아름다운 기업이 되었다.

과연 하나님의 말씀대로 사업을 하는 것이 가능할까, 의아해하는 사람들이 많다. 실제로 많은 성도와 목회자들이 물질과 하나님은 물과 기름의 관계와 같다고 생각한다. 하지만 하나님은 그의 백성에게 물질의 축복을 약속하셨다. 그러므로 영혼을 섬기는 선한 목적을 위해 열심히 땀 흘려 일하는 자들에게 풍성한 열매로 응답하신다. 실제로 지난 20년간, 사업 현장에서 잠언 31장의 말씀을 실천하는 동안 나와 직원들은 자녀들에게 아낌없이 부어 주시는 하나님을 경험했다.

최근 한국의 많은 크리스천 기업가들이 어떻게 하면 하나님이 기뻐하시는 기업을 만들 수 있을까에 대해 고민하고 있다는 소식을 들었다. 더없이 반가운 소식이다. 하지만 비즈니스 영역의 주인이 하나님이심을 알면서도 '어떻게 하면 현장에서 그분으로 하여금 일하시도록 할 수 있는가' 하는 방법론을 찾지 못하고 있다는 안타까운 상황도 알게 되었다. 그 귀한 기업가들을 위해 우리 회사와 함께해 오신 하나님의 이야기를 기록하기로 결심했다.

이 책은 지난 20년간의 경험을 바탕으로 하나님이 비즈니스 현장에 어떻게 주님의 기업을 세워 가시는가를 생생하게 기록한 '창업 전략서'이자 돈이 목적인 세상 기업과 경쟁하면서 어떻게 하나님이 부탁하신 영혼들을 섬기고 하나님의 나라를 확장해 갈 수 있는가를 경험적으로 정리한 '경영 전략서'다. 이 모든 지혜와 전략은 온전히 하나님으로부터 온 것들로, 나에게 먼저 이런 은혜를 부으신 것은 다른 많은 크리스천 기업가들을 세우시기 위함이라 생각한다.

부디 이 책을 통해 당신을 향한 하나님의 놀라운 계획과 전략을 알기를 바란다. 그리고 하나님의 지혜에 힘입어 진정한 그분의 기업가가 되기를 간절히 기도한다.

2015년 5월

하형록

The Wave Mixed-Use Parking Facility

Atlantic City, NJ

Part 1

하나님의 기업, 팀하스가 탄생하기까지

한센병 환자촌에서 자란 아이

돌아보면 내 삶은 처음부터 하나님이 계획하신 특별한 축복 안에 있었다. 단지 심장 이상으로 죽음과 마주서기 전까지는 그 사실을 몰랐을 뿐이다.

내가 미국에 온 것은 열두 살, 그 전까지 나의 가족은 부산에서 살았다. 어린 시절, 나의 인생을 결정지은 가장 큰 요인은 아버지였다. 아니 좀 더 정확하게 말하면 아버지의 담대함(boldness)이다. 바울이 담대하게 자기가 체포될 줄 알면서도 예루살렘으로 들어갔듯이 아버지는 한센병 환자촌을 자신의 사역지로 선택했다. 당시 한센병 환자는 위험한 전염병을 가졌다 생각해서 접근 기피 대상이었기 때문에 사람들이 많이 사는 도시나 마을과는 멀리 떨어진 깊은 산속이나 섬에 격리되어 살고 있었다. 그런 그들에게 복음을 전하려는 목회자도 거의 없었다.

그 시절, 신학대학 졸업을 앞두고 있던 아버지는 "육신의 더러움은 영의 더러움보다 가볍다"면서 한센병 환자촌 목회를 결심했고, 결혼 후 어머니를 데리고 한센병 환자촌으로 들어가 목회를 시작했다.

원래 아버지의 고향은 경상남도 거창이다. 6·25가 일어났을 때 민족과 나라에 대한 뜨거운 연민과 사랑을 가지고 학도병으로 참전했다가 죽을 고비를 맞았다. 죽음과 직면한 절체절명의 상황에서 아버지는 하나님을 부르며 이렇게 외쳤다.

"하나님, 저를 살려 주시면 평생 당신을 주로 섬기겠습니다."

이렇게 기도한 후 아버지는 포탄이 빗발치는 전장을 향해 뛰었고, 정신이 들었을 때는 함께 포탄을 뚫고 뛰던 다른 학도병들이 대부분 죽었다는 것을 알게 되었다. 기적적으로 살아남은 아버지는 그때부터 하나님을 생명의 주인으로 절대적으로 신뢰하게 되었다. 그래서인지 아버지는 삶과 죽음의 문제를 주님께 맡기고 망설임 없이 첫 목회지를 한센병 환자들을 섬기는 곳으로 결정한 것 같다.

덕분에 나는 한센병 환자촌에서 태어나 자랐다. 그곳이 내가 아는 세상의 전부였다. 내가 매일 만나는 사람들이 대개 한센병 환자였기 때문에 다른 사람들과 조금 다르긴 해도 사람이 그렇게 생길 수도 있다고 생각했고 사실 나 자신도 어떻게 생겼는지 관심이 없었다. 그냥 같이 손을 잡고 놀 수는 없으니까 거리를 두고 이야기하거나 장난을 치는 것이 전부였지만 보통 아이들 대하듯 거리낌 없이 어울려 놀았다.

나는 어려서 잘 몰랐지만 당시 한센병 환자촌에 들어간다고 하면 사람들은 죽으러 간다고 생각했다. 하지만 우리는 보란 듯이 그곳에서 7년간 건강하게 잘 살았고, 아버지는 작정한 기간이 끝나자 부산의 한 교회의 청빙을 받아 그곳을 떠나기로 했다. 당시 아버지의 나이가 30대 초반이었으니 얼마나 가고 싶었을까. 그런데 뜻밖의 상황이 발생했다.

첫 7년이 끝났을 무렵 나는 코흘리개 여섯 살 꼬마였다. 이삿짐까지 다 싼 것 같은데 며칠이 지나도 우리는 그곳을 떠나지 않았다. 나중에 커서야 어머니에게 그때 무슨 일이 있었느냐고 물었다. 그때 어머니는 이렇게 말씀하셨다.

"내가 7년을 더 있자고 했다."

어머니는 처음에는 '목회자인 남편의 뜻에 따라' 할 수 없이 한센병 환자촌에 들어왔으나 거기서 사는 것이 죽고 싶을 만큼 싫어서 작정한 7년이 지나기를 손꼽아 기다렸다고 했다. 그런데 막상 이삿짐까지 꾸리고 나가려는데 꿈에서 찬란한 십자가를 보셨단다. 그리고 그때 어머니는 중요한 사실을 깨닫게 되었다. 아버지의 뜻에 따라 한센병 환자촌에 같이 들어오긴 했으나 어머니 자신은 그들을 섬긴 적이 없다는 것을 깨달은 것이다. 그래서 다시 어머니의 뜻에 따라 7년을 더 있기로 결정한 것이다.

어렸을 때는 그곳에서 사는 게 아무렇지도 않았다. 그런데 얼마 안 가 문제가 생겼다. 형과 내가 초등학교에 들어가게 된 것이다.

우리 형제가 한센병 환자촌에서 산다는 것을 알게 된 친구들은 우리를 피하거나 '문둥이'라고 놀렸다. 당시 나보다 한 살 많은 형과 나는 학교를 늘 같이 다녔는데, 집에서부터 30분을 걷다가 버스를 탄 뒤 다시 20분을 더 가야 학교가 있었다. 그런데 버스 정거장까지 가는 길에 조그마한 동네를 지나가야 했는데 그 동네 아이들이 우리에겐 공포의 대상이었다. 그 아이들은 그냥 말로만 놀리는 게 아니라 돌을 던지면서 자기 동네에 들어오지 말라고 했다. 그 돌에 맞아서 피가 난 적도 있다. 떼를 지어 우리를 쫓아 다니는 아이들이 무서워서 다른 길로 돌아가기도 했는데 그러면 20분을 더 허비해야 했다. 걸음아 날 살려라는 심정으로 달음박질해도 아이들은 어떻게 알았는지 쫓아오며 돌을 던졌다. 거의 매일이 전쟁 같았다.

한번은 학교에서 돌아오는 길에 버스를 탔는데 그때 초등학교에 갓 들어간 내가 귀여워 보였는지 차장이 어느 동네에 사느냐고 물었다. 그래서 나는 아무렇지도 않게 한센병 환자촌에 산다고 말했다. 그러자 그 누나의 표정이 바뀌더니 우리가 낸 돈을 받지도 않고 그냥 내리라고 했다. 혹시라도 병균이 옮을까 봐 그런 것인데 우리는 그것도 모르고 그냥 착한 누나라고만 생각해 집에 와서 어머니께 그 이야기를 했다. 그러자 어머니는 눈물을 지으며 "우리 아이들이 세상의 멸시를 받으며 자라는구나" 하셨다. 하지만 나는 그때 너무 어려서 우리가 왜 그런 일을 당하며 살아야 하는지 생각해 보지 않았다.

당시 우리 집 가정형편은 정말 어려웠다. 나는 어려서 오히려 그런 것들을 힘들어하지 않고 당연하게 받아들였지만 지금 돌이켜보면 정말 가슴 찡한 기억들이 많다. 한센병 환자촌에 13년을 살면서 우리 가족끼리 시내에 나가 외식을 한 적이 한두 번밖에 없는데, 한번은 부모님이 아이스크림을 사 주셨다. 그런 걸 한 번도 먹어 본 적 없던 나는 아껴 먹는답시고 핥아 먹다가 천천히 한 입 베어 물었는데 그만 녹아서 땅에 떨어지고 말았다. 눈물이 찔끔 날 만큼 아까워서 부모님을 쳐다보았지만 부모님은 안쓰러워할 뿐 더 사 주실 돈이 없었다. 가게 주인은 야박하게도 내가 떨어뜨린 것이니 다시 줄 수 없다고 모른 척했다. 하는 수 없이 그냥 집으로 돌아왔지만 그것이 두고두고 아까웠다.

외로운 한센병 환자들을 향한 하나님의 마음은 그렇게 아버지에게, 그리고 어머니에게 부어져 우리는 그곳에서 6년을 더 살다가 그곳을 방문한 미국 선교사들의 권유와 배려로 필라델피아로 건너오게 되었다.

파일럿을 꿈꾸던 아이,
미국 명문대 건축학도로

초등학교 졸업을 두어 달 앞둔 1969년 12월, 드디어 나와 어머니, 그리고 여동생 은신이가 미국 필라델피아에 도착했다. 나보다 한 살 더 많은 형은 군복무 문제로 출국이 늦어져 2년 뒤에야 미국으로 올 수 있었다. 당시 아버지는 미국 선교사의 도움으로 우리보다 1년 먼저 미국에 와서 신학교에서 공부하고 있었다. 미국은 매우 크고 선진국이라는 말을 듣고 왔는데 막상 와 보니 내가 살던 부산보다 그렇게 좋은 것 같지 않았다. 일단 모든 집이 단층집인데다 번화한 거리도 없이 시골처럼 조용했고, 더구나 아버지가 신학생이다 보니 사는 형편도 한국에서보다 나을 게 없었다. 책상도 없고 전축도, 라디오도 없었다. 그래서 어린 마음에 무척 실망했다.

게다가 아버지와 어머니의 고생이 이만저만이 아니었다. 부산에 살 때는 아버지는 목회자였고 돼지와 닭을 키우던 한센병 환자들 덕분에 고기와 달걀 정도는 먹을 수 있었다. 하지만 미국에 오니 아버지는 그저 가난한 신학생에 불과한데다 네 명의 아이가 딸린 가장으로서 온갖 허드렛일을 다 해야 했다. 낮에는 신학교를 다니면서 목수 보조를 하고 밤이면 야간 청소를 하기 위해 집을 나섰다. 한때는 밤새 택시 운전을 하기도 했다. 어머니도 가정부로 일하다가 나중에는 봉제공장에서 바느질을 했다.

내가 아버지를 더 잘 이해하게 된 것은 함께 일을 나가면서부터다. 나는 열세 살 때부터 아버지와 함께 큰 빌딩을 청소하러 다녔다. 아버지 혼자 하려면 밤을 꼬박 새워야 하기 때문에 나를 데려간 것이다. 하지만 아버지는 화장실 청소만큼은 나에게 시키지 않았다. 그렇게 하룻밤에도 두세 군데씩 다니며 일을 해야 했던 아버지는 공부할 시간이 거의 없었다. 하지만 자식들을 위해 그 모든 고생을 묵묵히 감당했다.

아버지가 심야 택시기사를 할 때는 하루하루가 전쟁이었다. 소위 택시기사라는 사람이 길도 모르는데다 승객이 하는 말도 알아듣지 못했으니 상황은 불을 보듯 빤했다. 그저 뒤에 앉은 손님이 이리 가라면 이리 가고 저리 가라면 저리 가는데 보다 못한 승객들이 답답해서 소리를 지르면 꾹 참고 다 듣고 있어야 했다. 하지만 곧 길을 익혀서 나중엔 팁 받는 재미에 날 새는 줄도 몰랐다고 했다. 그때만 해도 동양인이 별로 없어서 "당신 어디서 왔냐? 왜 왔냐?"고 묻는 사람이 많았는데 한국에서 온 신학생이라고 대답하면 사람들은 팁을 더 챙겨 주곤 했다. 가난한 우리 형편으로선 그 팁이 얼마나 고마웠는지 모른다. 그래서 아버지는 지금도 내게 식당에 가든 호텔에 가든 일하는 사람들에게 팁을 많이 주라고 당부한다.

미국에서 학교를 다니기 시작한 형과 나에게도 만만치 않은 일들이 기다리고 있었다. 그때만 해도 미국 사회는 인종차별이 심했다. 우리가 미국에 간 것이 1969년인데 1968년에 흑인 인권운동의 지도자인 마틴 루터 킹 목사가 살해당하는 사건이 있었다. 흑백 갈등이 심각해지면서 당시 인구수가 늘어나기 시작한 동양인들에 대한 핍박도 심했다. 당연히 우리도 예외는 아니었다.

학교에서 유일한 동양인이어서 놀림을 받는데다 수업 시간에는 영어를 하나도 알아듣지 못해 여간 맘고생이 심한 게 아니었다. 특히 아이들이 나를 부를 때 '하'라고 부르지 않고 '하하하'라고 부르는 게 그렇게 싫을 수가 없었다. 하지만 한국에서 문둥이라고 놀림을 받고 돌팔매질을 당한 것에 비하면 참을 만했다. 한센병 환자촌에서 보낸 시간이 미국 생활의 어려움을 잘 넘기는 훈련이 되었던 것이다.

신학대학원을 졸업한 아버지는 작은 교회를 개척했다. 사실 아버지는 타고난 설교자였다. 한센병 환자촌에서 살 때도 아버지는 여러 교회에 부흥강사로 초빙되어 설교를 많이 했는데 가끔 나도 따라가서 듣노라면 감동을 받곤 했다. 하지만 이곳은 미국이었고 당시는 한인들이 많지 않던 때라 교회 개척 후에도 우리 집 살림은 나아지지 않았다. 덕분에 형과 나는 공부하면서 일도 해야 했다.

미국은 여름방학이 길어서 거의 석 달가량 되는데 학생들은 그 기간에 일을 해서 1년 공부할 돈을 모으곤 한다. 나도 열세 살 무렵부터 여름방학에 일을 했는데 가장 먼저 한 일이 아버지와 야간 청소를 하거나 페인트칠을 하는 것이었다. 보통 아침 7시부터 밤 6시까지 온 종일 페인트칠을 했는데 실내 페인트칠은 그나마 쉬웠다. 하지만 수입이 적었다. 반면에 외부 페인트칠은 힘은 들지만 돈이 되었다. 특히 외부 페인트칠을 하려면 사다리를 놓고 건물 꼭대기 층에서부터 기존의 페인트를 깨끗이 벗겨 내야 하는데, 그게 보통일이 아니었다. 얼굴이 페인트 껍질로 뒤범벅되도록 반나절 이상을 벗겨 내야 했다.

그러다 독립적으로 돈을 벌 수 있는 열여섯 살이 되면서부터 아버지를 따라다니지 않고 노인케어센터에서 청소하고 빨래

수거하는 일을 했다. 나중에 아버지가 어느 미국인 교회의 부목사로 가신 뒤에는 그 교회 청소 일도 했다. 대학에 들어간 뒤로는 학교 건축부에서 일을 하면서 학비를 벌었다. 당시 직장인들이 보통 주당 40시간 일을 했는데 나는 주중에만 하루 4시간씩 20시간 일했다. 주말에 일한 것까지 합하면 30시간이 넘었다. 학비를 벌기 위해 한 일이지만 대학에서 일할 때는 건축과 관련해 상당한 경험을 쌓을 수 있었다.

사실 어릴 때 나의 꿈은 비행기 조종사가 되는 것이었다. 그 꿈은 두 살 때부터 품은 꿈이다. 비행기 장난감을 보면 눈을 떼지 못했지만 나는 한 번도 장난감 비행기를 가져 본 적이 없다. 대신에 직접 나무로 비행기를 만들어 고무줄로 당기면서 놀았다. 이 꿈은 고등학교 때도 변하지 않았다. 그러던 어느 날 아버지가 "비행기 조종사는 한번 집을 떠나면 최소 1, 2주는 집에 돌아오기 어렵다"면서 그래도 하고 싶으면 하라고 했는데 그 순간 나는 마음을 고쳐먹었다. 어떤 경우라도 가족을 떠나기는 싫었기 때문이다.

열두 살에 미국에 왔지만 언어 장벽은 쉽사리 무너지지 않았다. 영어를 배우기가 쉽지 않았다. '미국에서 말로 먹고살긴 어렵겠다'고 생각하던 차에 이웃에 사는 한인이 "동양인은 기술을 배우는 게 좋다"고 조언해 주었다. 마침 그분이 건축 관련 일을 했는데 건축은 길도 놓고 건물도 짓고 도시를 만드는 일이라고 설명해 줘서 관심을 갖기 시작했다.

1970년대 초의 일이니까 건물이 지금처럼 화려하거나 독특하지 않았다. 건축의 미는 고려하지 않고 매뉴얼에 따라 뚝딱뚝딱 건물을 짓는 식이었다. 땅이 좁은 우리나라가 볼품은 없지만 어마어마한 아파트를 짓는 식과 같았다. 1960년대의 미국은 유럽식의 아름다운 건물 같은 건 비싸서 지을 수가 없었다. 기술과 제철산업이 발달하면서 건축 붐이 일어나기는 했으나 그저 건물을 올려서 윗부분을 잘라 내는 것이 건축이었다. 내가 보기엔 아무나 할 수 있는 일 같았다.

그래도 공부는 마치기로 했다. 하지만 내가 대학을 졸업했을 때는 미국의 경제 사정이 너무 안 좋아 직장을 구하기가 하늘의 별따기처럼 어려웠다.

가정부에 삯바느질까지 하며 뒷바라지하는 어머니를 생각하면 나는 누구보다 빨리 취직해야 했다. 어머니가 고생하는 모습을 보면 어린 마음에도 너무 마음이 아파서 나는 3년제 고등학교도 2년 만에 마치고 4년제 대학도 3년 반 만에 끝냈다. 구조공학 분야 자격증도 남들보다 4~5년 빨리 취득했고 이후 건축 디자이너 자격증도 땄다. 어머니를 위해 내가 할 수 있는 일이란 열심히 공부하고 시험은 무조건 붙는 것이라 생각했기 때문이다.

그런데 그즈음 불경기에도 불구하고 승승장구하던 곳이 있었는데 바로 원자력발전소였다. 거기에 취직해서 몇 년간 열심히 일했다. 그러다 뜻하지 않은 사고로 발전소가 어려워져서 그만두고 칼 워커 회장이 창업한 주차 건물 전문 건축회사인 워커파킹 컨설턴트(Walker Parking Consultants)에 입사하게 되었다.

아메리칸 드림을 향해 달리다

건축회사에 취직한 후 그야말로 수직 상승하듯 매년 승진을 거듭해서 마침내 20대 말에 중역이 됐다. 사람들은 '이민자가 미국의 유명 회사에서 파격적인 승진과 성공을 하게 된 비결'을 묻곤 하는데 나는 그런 질문을 받을 때마다 여간 당황스럽지가 않다. 특별히 비결이랄 것이 없기 때문이다. 단지 매 순간 최선을 다했을 뿐이다. 상사가 10개 하라고 하면 11개를 했다. 지시한 것보다 항상 더 하려고 노력한 것이다. 그런데 그것도 승진을 해서 성공하겠다는 무슨 각오가 있어서가 아니라 더 많은 일을 하면 상사나 동료들이 기뻐하는 것이 좋아서 그랬다.

그들의 반응이 나를 더 일하게 만든 것이다. 나는 이상하게 그런 것이 좋았다.

예를 들어 상사가 물을 떠 오라고 하면 보통은 그냥 컵에 물을 부어서 갖다 주지만 나는 냅킨까지 챙겨서 가져갔다. 그러면 어떤 상사라도 특별한 대접이라도 받은 양 기뻐했다. 지금 생각해 보면 잠언 31장 24절에서 상품에 띠를 달아 보내는 그 일을 성경을 읽기도 전에 이미 자연스럽게 하고 있었다. 하지만 그때는 그것이 중요하다는 사실을 몰랐다. 그냥 그렇게 하는 것이 즐거웠다.

일을 할 때나 리포트를 작성할 때도 나는 정해진 시간이 되기 전에 반드시 일을 마쳐서 상사의 책상 위에 갖다 놓곤 했다. 상사가 내가 하는 일을 두 번 세 번 확인하게 하고 싶지 않아서였다. 예상과는 다르게 일이 진행되는 경우에도 미리 진행 과정을 보고해서 상사가 두 번 세 번 묻지 않아도 되게 했다. 그건 고객에게도 마찬가지였다. 그랬더니 고객들이 새 프로젝트가 있으면 사장이 아니라 나를 먼저 찾았다. 그런데 당시 사장이 참 멋있는 사람이었다. 질투할 법도 한데 그러지 않고 어느 날 나를 조용히 부르더니 이렇게 물었다.

"내가 자네보다 나이가 스물다섯이나 많고 사회 경험도 그만큼 더 많은데 왜 사람들이 나 말고 자네를 찾는 거지? 그 비결을 좀 말해 보게."

나는 잘 모르겠다고 시치미를 뗐다. 그러자 사장은 그냥 물러서지 않고 내가 다른 직원들과 다른 점을 열거하기 시작했다. 첫째, 내가 질문을 많이 한다는 점, 둘째, 일을 시키면 그 일을 정확하게 하고 프레젠테이션을 참 멋있게 해낸다는 점, 셋째, 묻기 전에 미리 미리 진행 상황을 보고해서 안심하게 만들어 준다는 점 등을 꼽았다. 그 말을 듣고 나는 이렇게 대답했다.

"고객에게도 똑같이 그렇게 합니다."

그러자 그는 무척이나 흡족해하면서 앞으로도 계속 그렇게 하라고 했다. 그러더니 이후로 매년 나를 진급시켜 주어 29세에 회사 중역에 오르게 했다.

회사라고 인종 차별이 없었던 건 아니었다. 하지만 능력이 있으면 그것도 큰 문제가 되지 않았다. 예를 들어 유색인이 미국 사람과 똑같이 일을 하면 미국인들은 당연히 미국인을 고용한다. 하지만 미국인이 10개를 할 때 11개를 하면 미국인이 아니라 유색인을 고용할 수밖에 없다. 그들에게 나는 바로 그런 사람이었다.

워커 파킹 컨설턴트는 직원이 200명이나 되는 상당히 큰 회사다. 내가 29세에 그 회사 중역이 되었을 때 나보다 직급이 높은 사람은 10명밖에 되지 않았다. 더구나 40대는 단 한 명이었고 나머지는 모두 50~60대였다. 서른도 안 된 사람은 오직 나밖에 없었다.

그때 머리를 굴려 보니 대략 10년 후면 그 회사의 회장이 될 수도 있겠다는 생각이 들었다. 회사 규모가 크면 창업자라도 자기 자녀에게 회사를 물려줄 수 없다. 그렇다면 당연히 중역 중에서 누군가에게 운영권을 넘길 수밖에 없을 것이다. 당시 내가 가장 젊은 중역이었으므로 열심히만 하면 미국 굴지의 건축 설계 회사의 대표가 될 수도 있겠다 싶었다. 물론 그러면 돈도 많이 벌 수 있겠다는 계산도 섰다.

목표와 돈이 보이자 나는 그것을 향해 전력질주했다. 젊다 보니 아무래도 돈보다는 명예와 직위에 욕심이 더 생겼다. 회사 대표가 되기만 한다면 어디서든 이만큼 이루었다고 말할 수 있겠다 싶으니까 그것이 내 삶의 모든 것으로 다가왔다. 그래서 다른 많은 젊은이들처럼 세상적 명예와 부를 향해 나의 몸을 불살랐다. 심장에 이상이 오기 전까지 나는 그렇게 살았고 성공을 확신했다.

한편으로 나는 나 자신 말고도 믿는 구석이 또 하나 있었다. 아버지였다. 아버지는 한센병 환자촌에서 13년을 섬기신 것을 포함해서 평생 목회자로 헌신하셨다. 당연히 그 자녀인 나는 하나님의 복을 받을 것이라 생각했다. 성경도 하나님의 종은 3대까지 복을 받는다고 했으므로 나는 일이 잘 풀릴 때마다 '아, 아버지 때문에 나는 물론이고 내 자녀까지 축복을 받겠구나' 생각했다. 그런데 1991년 가을, 뉴욕을 향해 시원하게 뻗은 고속도로 위에서 하나님은 하나님 나라와 상관없이 질주하는 나를 잡아 세우셨다.

내 몸 안에 내 생명을 위협하는 것이 있다

심장전문의인 아이젠 박사는 정확하고 냉정하게 내가 처한 현실을 설명해 주었다. 그리고 이렇게 시작된 심실빈맥 증상이 앞으로 얼마나 빨리 심각해질지 모르므로 당장은 아니더라도 가능한 빨리 심장이식수술을 받지 않으면 매우 위험하다고 경고했다.

이후로 나는 내 몸 안에서 내 생명을 위협하는 것과 전쟁을 시작했다. 먼저 심장을 정상적으로 작동하기 위한 수술을 했다. 아이젠 박사는 임시방편으로 심박조율기(pacemaker)를 몸 안에 넣는 수술을 해 주면서 제세동기(defibrillator)란 보조기구를 또 하나

넣어 주었다. 제세동기는 심장박동이 멈출 때 인위적으로 심장에 자극을 주어 심장을 다시 뛰게 하는 장치이고, 심박조율기는 빨리 뛰는 심장의 박동 속도를 늦춰 주는 장치다.

출근과 입원을 번갈아 가며 제세동기를 몸에 넣는 수술을 받고 퇴원하기까지 6개월가량이 흘렀다. 당분간은 기계에 의지해 일할 수 있을 것으로 기대하면서 퇴원 수속을 하고 나오는데 또다시 심장이 빨리 뛰기 시작했다. 도무지 통제할 수 없는 속도로 심장이 빨리 뛰자 제세동기가 강한 전기충격으로 대응하기 시작했다. 하지만 심장박동 속도는 도무지 늦춰지지 않았다. 나는 숨을 조여 오는 빠른 심장박동과 마치 심장을 터뜨릴 것처럼 강하게 충격을 가하는 제세동기의 압력을 동시에 받으면서 '이제 정말 죽는구나!' 하는 강한 공포와 두려움에 사로잡혀 벌벌 떨었고, 그 길로 다시 응급실로 돌아가 기계를 점검했다. 아이젠 박사는 기계가 내 몸에 잘 맞지 않는다고 판단, 기계를 바꾸는 재수술을 했다. 그렇게 입원을 한 채로 다시 두 달을 더 병원에 있어야 했다.

그 후 퇴원을 했지만 심실빈맥 증상은 계속됐다. 아니 점점 그 빈도가 잦아져서 하루가 멀다 하고 심한 박동을 멈추지 않는 심장으로 인해 죽음의 위기에 내몰리곤 했다. 아이젠 박사가 전기절제술을 이용해서 그것들을 제거했지만 하나를 없애면 또 다른 곳에서 생겨났고 거의 24시간 진정제를 맞지 않으면 안 될

만큼 나의 심장은 통제 불능 상태까지 가게 됐다.

하지만 어떻게든 이식수술만은 피하고 싶어서 나는 그때부터 약물에 의지해 1년여를 버텼다. 하지만 결국 올 것이 오고야 말았다. 어느 날 아이젠 박사로부터 "이젠 집에 돌아갈 수 없다. 입원하라"는 통고를 받은 것이다. 이식수술 외에는 살아날 가망이 없는 지경까지 간 것이다. 그렇게 나는 30대의 전도유망한 나이에 병원 침대에 누워서 남의 심장을 기다려야 하는 신세가 되었다.

참 암담했다. 나의 상징이던 빛나는 당당함과 강인한 의지, 그리고 불굴의 자신감은 완전히 사라져 버렸다. 심장이 적당한 속도로 뛰지 않는 한 나는 아무것도 할 수가 없었다. 아니 이 세상에 존재할 수조차 없었다.

당시 우리 아이들은 겨우 두 살과 세 살이었다. 더구나 이런 상황이 생길 줄 모르고 큰 집을 산 지 얼마 안 된 때라 경제적으로도 힘들었다. 집을 팔려고 내놓았지만 불경기라 임자가 선뜻 나서지 않았다.

나의 상태도 호전되지 않았다. 숨을 제대로 쉴 수가 없으니 앉아도 힘들고 누워도 힘들고 고문 중에 그런 고문이 없었다. 한번 심장이 빨리 뛰기 시작하면 고통도 고통이지만 금방이라도 숨이 넘어갈 것 같은 두려움이 덮쳐 왔다. 먹던 약이 듣지 않자 병원에서는 계속 약을 바꾸어 가며 위급한 상황을 넘겼다. 하지만 모든 것은 임시방편일 뿐이었다. 너무 고통스러워하면 모르핀(morphine)을 놔 주기도 했다. 의식이 살아 있어야 심장이 뛰기 때문에 병원에서도 어떻게든 생명을 연장시키려고 온갖 방법을 동원했다. 특히 나의 주치의인 아이젠 박사가 나를 살리기 위해 헌신적으로 노력했다. 내 상태가 좋지 않으면 퇴근도 하지 않고 밤새 나를 지켜보곤 했다. 중환자실에서 내 심장의 심한 박동을 멈추게 하는 모든 약물을 다 맞았지만 단 한순간도 안심할 수 없었다. 병원 의사들의 아침 인사가 "팀이 아직 살아 있어?"였을 만큼 심각했다.

당시 내가 살 확률은 25퍼센트였다. 심장병 환자의 절반쯤은 병원에서 심장을 기다리다가 숨을 거둔다. 남은 절반은 심장 이식수술을 받은 후 1년 내에 감염 후유증으로 죽는다. 그리고 성공적으로 이식수술을 받은 사람도 평균 수명이 10년 남짓이다. 그러니 정확하게 말하면 30대 초반인 내가 성공적으로 이식수술을 받는다 해도 10년 정도 더 살 확률이 겨우 25퍼센트인 셈이었다.

한번 입원하면 적어도 6개월은 병원 생활을 하게 된다. 내 생체 조건에 맞는 심장이 그리 빨리 나오지 않기 때문이다. 심장을 기다리면서 위급해지면 내 순서가 아니라도 먼저 받을 수 있기 때문에 그야말로 기다림과의 싸움이다. 기다린다고 해서 다 되는 것도 아니다. 몸의 상태가 나빠지면 심장이 나와도 이식수술을 받을 수가 없다. 그래서 심장병동은, 살아남기 위해 피가 마르는 듯한 고통을 견뎌 내며 처절하게 기다려야 하는 자기와의 싸움터이자 남보다 하루라도 먼저 더 좋은 심장을 받기 위해 소리 없이 싸우는 남들과의 치열한 전쟁터라고 말한다.

바로 그곳에서, 나는 생명의 주인이 누구인지를 알게 되었다. 그리고 주님의 은혜가 아니고선 살아 나갈 가망이 없다는 사실도 깨닫게 되었다. 병원에 있는 동안 심장을 기다리던 많은 사람들이 죽어 갔다. 그런 광경을 지켜보면서 내가 살아온 삶을 되돌아보게 되었다. '만일 내가 기적적으로 살아서 이 병원을 나간다면 어떻게 살 것인가' 생각해 보지 않을 수 없었다.

나도 힘들었지만 갓 결혼해 새댁인 아내의 충격이 더 컸다. 하루에도 몇 번씩 삶과 죽음 사이를 오가다 보니 아내를 못 알아보는 적도 있었다. 아내는 처음엔 너무 힘들어서 어떻게 기도해야 할지 몰랐다. 다행히 어찌할 바를 모르는 우리를 대신해 많은 사람들이 기도해 주었다. 아내는 어린 아이들을 건사하기도 힘든데 병석에 누운 남편까지 돌보아야 했다. 그러기를 2년여가 흘렀다. 사랑하는 아내와 아이들을 위해서라도 나는 살고 싶었다. 꼭 살아서 이 심장병동을 나가고 싶었다.

죽음 앞에서 만난 하나님 기업의 비밀

내가 성경 말씀을 본격적으로 읽기 시작한 것은 이식수술을 위해 병원에 입원했을 때부터다. 말씀을 읽고 또 읽으며 하나님을 두려운 마음으로 바라보았다. 병원은 내게 광야와 같은 곳이었다. 나는 의식이 있는 거의 모든 시간에 성경을 읽었다. 그때는 하나님과 나, 둘밖에 없었다.

그러던 어느 날 이전에는 무심히 넘겼던 말씀이 마음에 들어왔다. 그것은 "네 이웃을 네 자신같이 사랑하라"(마 22:39)는 말씀이었다. 건강했을 때 그 말씀은 나와 상관없는 말씀이었다. 목사, 자선단체, 선교의 은사를 받은 사람들한테나 해당되는 말씀이라고 생각했다. 그런데 어느 순간부터 그 말씀이 나와 상관있는 말씀으로 다가왔다. 이때부터 하나님은 이기적인 나를 계속해서 깨워 가셨다.

그때까지 나의 신앙은 수직적이었다. 하나님과 나의 관계에 이상이 없다고 확신했고 그 사랑 안에서 나의 능력을 확인하고 오직 나만 바라보았다. 다른 사람을 섬기는 일은 그 일을 위해 부르심을 받은 목사나 선교사들이 하면 되므로 나는 내게 주어진 일만 열심히 하면 된다고 생각했다.

그런데 성경을 읽으면 읽을수록 하나님이 나에게 말씀하시는 것은 한 가지였다. 일단 구원을 받은 자에게는 할 일이 있다는 것이다. 구원은 선물로 주시지만 받은 사람은 그 선물을 수평적으로 사람들에게 나누어야 한다는 것을 깊이 깨닫게 됐다.

지금까지 나는 내 가족을 포함한 나만을 위해서 살았다. 가족을 위해 열심히 일했고, 부모님을 위해 좋은 대학을 갔다. 그런데 그것도 사실 나 자신을 위한 일이었다. 구원을 받고도, 하나님이 아닌 나 자신을 섬기고 있었던 것이다. 주님은 그렇게 세상과 죄를 향해 달려가는 나를 붙들어 세우사 참 성도된 자의 길로 돌이키시려고 심장병동까지 오게 하셨던 것이다! 그것을 확신하면서 나는 내 삶의 중심을 내가 아닌 남에게 두기로 결심했다. 그즈음 아내가 내게 신문을 보여 주었다.

"여보, 광고가 났네요."

어려운 사람을 돕는 미국의 자선단체인 '수프앤키친'(Soup and Kitchen)이 기금이 없어서 문을 닫는다는 소식이었다. 예전 같았으면 이런 뉴스를 보고도 아무런 감흥이 없었을 것이다. 그런 건 그 분야의 전문가들이 나설 일이라고 생각했을 것이다. 그런데 그날 그 소식은 내 마음을 내내 불편하게 만들었다.

그 광고를 보았을 때 나는 병원에 있었고 심장이식수술을 기다리고 있었지만 아내와 나는 "만일 하나님이 나를 살려 주시면 이런 단체를 돕겠다"고 기도했다. 그런데 하나님께서 그 기도를 기다리셨다는 듯이 길을 활짝 열어 주셨다. 그것도 내가 상상도 못한 방법으로 말이다.

사실 월급쟁이들은 아무리 보통 사람들보다 몇 배로 월급을 받아도 집 렌트비며 카드 값이며 세금이며 지불하고 나면 저금하기가 쉽지 않다. 특히 미국은 세금이 많아서 저축은 그야말로 꿈이다. 그런 형편에 남을 돕겠다니, 고작해야 한 달에 몇 십 달러도 쉽지 않을 것이다. 그러니 좀 더 많은 사람을 도우려면 비즈니스를 해야 하는 게 아닌가 하는 생각을 하게 되었다.

그러던 중 1993년 1월에 심장이식수술을 받고 몇 개월 만에 집으로 돌아왔다. 수술 직후라서 또 몇 개월을 집에서 쉬어야 했다. 그렇다 보니 경제적으로 너무 힘들었다. 집을 팔려고 내놓았지만 팔리지도 않았다. 약값이 없어서 동료 환자에게 남은 약을 구하러 다닌 적도 있었다. 그런 중에도 나는 내 삶의 방향에 대해 고민하기 시작했다. 무엇보다 이전처럼 살아서는 안 되겠다는 생각이 강했다. 사업을 하기로 마음먹은 것이 그 무렵이었다.

아내는 1년을 말렸다. 대수술을 받은 탓에 얼굴은 부어 있고 먹는 약만 해도 헤아릴 수 없이 많았다. 그날 이후로 오늘날까지 하루에 한 움큼씩 약을 먹는다. 그렇게 약을 먹으면서 무슨 사업을 하느냐는 거였다. 틀린 말은 아니었다.

다니던 직장에서는 나를 배려해 설계 프로젝트만 따오라고 했지만 나는 더 이상 회사로 돌아가고 싶지 않았다. 물론 내가 자리를 비운 사이 다른 사람을 고용한 상태였다. 나는 무엇보다 살아 있는 동안 하나님 중심으로 살고 싶었다. 그러려면 회사로 돌아가선 안 되었다. 하나님을 중심으로 하는 새로운 조직이 필요했다.

하지만 그 무렵 우리는 가진 것이 아무것도 없었다. 직장 다니며 번 돈으로 집을 몇 채 사 두긴 했지만 엄청난 금액의 병원비를 대느라 다 팔아치우고 남은 것이라곤 가족들이 살고 있는 집 한 채가 전부였다. 더구나 장인어른이 하던 사업마저 부도가 나서 우리는 그야말로 어느 쪽에도 손을 벌릴 형편이 못 됐다.

1994년 처음 사업을 시작했을 때 나는 빚더미 위에 올라앉은 상태였다. 의료보험비를 낼 돈조차 없었다. 그러다 1995년, 하나님의 은혜로 템플대학에서 큰 프로젝트를 따낸 것을 시작으로 기적 같은 일들이 계속 일어났다. 창업을 한 지 불과 1년 만에 우리는 창고를 벗어나 사무실다운 사무실을 갖게 되었고 첫 파트너로 온 놀리 알라콘 부사장을 비롯해 15명의 식구가 생겼다. 하나님은 사업을 통해 재정적인 회복을 주셨을 뿐 아니라 육체적인 회복과 가족관계의 회복도 허락해 주셨다.

그러나 1998년에 다시 심장에 문제가 생겨서 이듬해인 1999년에 2차 이식수술을 큰 은혜 가운데 받게 되었다. 첫 번째 이식수술 때는 가족들의 충격이 컸다. 왜냐하면 나는 정말 건강한 사람이었기 때문이다. 하루에 잠을 5~6시간 자면 잘 자는 것이고 5~10분만 휴식을 취해도 기운이 곧 회복되었는데다 하루 종일 일해도 피곤한 줄 몰랐다. 내가 아프다는 사실을 아무도 믿지 않을 만큼 건강은 나의 상징이었다. 그랬기에 내가 쓰러졌을 때 누구보다 나의 부모님과 형제들, 그리고 아내의 충격이 컸다. 그런 까닭에 두 번째 수술을 받는다 했을 때 가족들의 걱정은 이만저만한 게 아니었다. 하지만 이번에도 기적이 일어났다. 처음에는 알코올중독 병력이 있는 40대의 심장을 이식받았는데 두 번째는 건강한 십대 남자아이의 심장을 받은 것이다.

1999년 2차 수술을 받기 위해 6개월가량 병원에 입원했을 때는 정말 재미있었다. 약을 맞기 위해 줄을 주렁주렁 단 채로 환자들과 성경공부반을 만들어서 말씀을 보는가 하면 비즈니스 미팅도 했다. 내가 입원하고 있으니 회사로서는 어려움이 많았다. 하지만 나는 하나님께 맡긴 회사이기에 별로 걱정하지 않았다. 죽음의 위기에서 나를 살리신 하나님이 당신의 기업을 이끌어 가실 것이라 믿었다.

잠언 31장의 말씀 위에 회사를 세우다

창업을 하기 전 나에게 큰 영감으로 다가온 말씀이 있었는데 바로 잠언 31장이다. 잠언 31장에 관한 많은 설교들이 본문에 나오는 여인을 그냥 여인으로 해석하는데, 영어로 이 말씀을 보면 단순히 여인을 말하는 게 아님을 알 수 있다. 목회자들은 이 말씀을 가지고 설교할 때면 특히 미혼 여성들에게 '이렇게 해야 복을 받는다'고 말한다. 특히 이 말씀은 유교적 전통에 익숙한 한국의 남녀관계로 볼 때 아주 그럴듯해 보인다. 하지만 일찍부터 남녀평등의 전통을 가진 미국에서는 한국처럼 제한적으로 이 말씀을 해석하지 않는다.

나는 목사의 아들로 태어나 어렸을 때부터 교회생활을 했지만 성경을 한 번도 통독한 적이 없었다. 그러다 병원에 입원해 있는 동안 처음으로 통독을 하게 됐다. 매일 3시간 정도 읽으니 두 번을 통독할 수 있었다. 처음엔 영어로 읽고 두 번째는 좀 힘들긴 해도 한글 성경으로 읽었다.

세 번째 읽을 때는 주석까지 다 읽느라 시간이 조금 더 걸렸다. 모르는 것이 나오면 신학생이 공부하듯 부지런히 찾아가며 통독했다. 그렇게 세 번을 통독하면서 확신하게 된 사실이 있는데 그것은 잠언 31장에 나오는 현숙한 여인이란 단순히 여자를 의미하는 게 아니라는 것이다. 원래 성경에서 여인은 모든 성도를 의미한다. 우리는 예수님의 신부인 교회이자 성도이기 때문이다. 그 시각에서 보면 현숙한 여인은 곧 지혜로운 성도를 의미한다고 보는 게 맞다. 하지만 그때까지 나는 이런 관점으로 잠언 31장을 해석하는 것을 들어 보지 못했다. 물론 어디선가 다른 많은 목회자들이 이런 시각으로 말씀을 전하고 있을 것이라 믿는다.

잠언 31장은 현숙한 여인이 어떻게 남편을 섬기며 가정을 일궈 가는지를 말하고 있다. 그런데 이 현숙한 여인이 성도라면 성도가 어떻게 주님을 섬기며 공동체를 위해 헌신하는지를 말하고 있는 것이 된다. 나는 이 말씀이 주님의 나라를 위한, 즉 주님께 거저 받은 선물인 구원을 이웃에게 전하기 위해 믿는 자들이 하는 비즈니스를 말하는 게 아닌가라고 생각했다.

31장 20절은 "그는 곤고한 자에게 손을 펴며 궁핍한 자를 위하여 손을 내밀며"라고 했다. 이 구절을 영어로 읽으면 그 의미가 더 분명해진다.

She opens her arms to the poor and extends her hands to the needy.

이 말씀은 내가 죽음 앞에 있다는 사실을 잊게 할 만큼 가슴을 뜨겁게 만들었다. 그리고 심장수술을 받고 난 뒤 집으로 돌아온 나는 바로 이 말씀에 의거해서 새로 시작할 회사의 정신을 만들었다.

We exist to help those in need.
우리는 어려운 이들을 위해 존재한다.

우리 회사는 입사를 원하는 모든 사람에게 이 경영철학에 대한 생각을 묻는다. 그리고 잠언 31장에 나오는 말씀을 읽어주고 그 말씀을 어떻게 생각하는지를 묻는다. 사실 면접은 응시자가 어떤 사람인가를 알아내는 과정이기도 하지만 기업이 자신의 회사를 알리는 시간이기도 하다. 특별히 우리는 우리 회사가 필요하다고 생각하는 사람일수록 면접 때 잠언 31장에 대해 충분히 공감하고 동참하도록 설득한다.

보통 31장 10절부터 시작하는데 30분 이상이 걸리는 설교나 다름없다. 우리는 20년 동안 100여 명의 직원을 뽑기 위해 천 명 이상을 상대로 이런 인터뷰를 해 왔다. 보통 한 사람을 인터뷰하는 데 2~3시간이 걸리다 보니 인사 담당 직원들이 여간 고생하는 게 아니다. 그렇게 직원을 뽑고 나면 훨씬 더 긴 시간에 걸쳐 오리엔테이션을 갖는다. 잠언 31장을 보다 더 자세히 설명하는 것이다.

그런 방법으로 직원을 뽑고 함께 일을 하다 보면 확실히 사람들이 달라진다. 그들도 인터뷰에서부터 이 회사가 보통 회사와는 다르다는 것을 느끼고 이전 회사에서는 시도해 본 적 없던 일을 하나씩 해 보려고 노력하게 된다.

우리는 한 걸음씩 이렇게 다른 길을 걸어왔고 그것이 세월이 흐르며 쌓이자 이제는 많은 사람들이 부러워하는 아름다운 회사가 되었다.

하나님은 구원을 선물로 주시지만

구원받은 사람은

그 선물을 이웃에게 나누어야 한다.

Miami Design District Museum Parking Garage

Miami, FL

Part 2

하나님 기업의 성공전략 잠언 31장(P31)

◇◇◇◇◇◇◇◇

이제 잠언 31장의 말씀이 어떻게 비즈니스와 연관이 되는지, 그리고 나와 우리 회사가 비즈니스 현장에서 이 말씀을 어떻게 적용해 왔는지에 대해 나누고자 한다. 잠언 31장의 말씀 중에 직접적으로 비즈니스와 관련된다고 생각되는 구절은 10절부터다.

Be rare

고귀한 성품을 가진 회사

≡ 잠언 31장 10절 ≡

A wife of noble character who can find?
She is worth far more than rubies.

누가 현숙한 여인을 찾아 얻겠느냐
그의 값은 진주보다 더하니라

영어 성경은 현숙한 여인을 고귀한 성품을 가진 아내(a wife of noble)로 해석하는데 그는 바로 우리다. 우리는 모두 예수님의 신부이기 때문에 그의 아내다. 그래서 성경도 단순히 여자(woman)라고 하지 않고 아내(wife)라고 표현한다. 그런데 아내이긴 하나 고귀한 성품(noble character)이라는 조건이 붙는다. 그런 아내는 어떤 사람인가? 그는 진주보다 더 귀한 가치가 있는 사람이다. 한국말로는 진주이지만 영어로는 루비다. 모두 값진 보석을 의미한다.

여기서 중요한 건 남편이 아니고 아내다. 아내는 예수님이 신랑이자 남편인 성도, 즉 우리를 말한다. 그런데 예수님이 아내, 즉 성도인 우리를 믿고 신뢰한다. 그것만으로도 우리는 고귀한 자들이다. 다른 말로 하면 의인이다. 그래서 보석보다 귀하다고 하는 것이다.

그런데 사실 우리가 그럴 만한 자격이 있어서 '고귀한 자'라는 칭송을 듣는 게 아니다. 그러므로 은혜로 값없이 귀한 자격을 얻은 우리가 세상에 나가 어떻게 사람들을 섬기고 비즈니스해야 하는지를 말하는 것이 바로 잠언 31장이다.

나는 우리 회사가 목표로 하는 공동체 정신이 바로 이 '고귀한 성품'임을 강조한다. 이 회사는 출발에서부터 나의 이익이 아닌 남을 돕기 위해 시작했기 때문에 보통 회사와는 다르다는 점을 처음부터 분명히 인식시킨다. 동시에 말씀에서처럼 그런 고귀한 정신을 가진 사람이나 공동체는 그 어떤 것보다 값지고 소중한 존재가 될 수 있음도 말해 준다.

그다음은 본인의 선택이다. 아무리 능력이 뛰어난 사람이라도 이 가치를 공유할 수 없다면 그가 공동체에 합류했을 때 공동체는 물론 그 자신도 큰 갈등과 어려움을 겪게 된다. 우리는 우리 회사를 지원한 사람들에게 보통 회사와는 다르다는 것을 강조한다. 돈보다 더 귀한 고귀한 성품을 중요시 한다고 가르치는 것이다.

물론 돈이 많은 사람이나 이윤을 잘 내는 회사도 그 능력으로 높은 평가를 받을 수 있다. 그러나 사실 그것은 참된 가치라고 볼 수 없다. 나는 정작 사람들의 마음을 움직이는 것은 진실, 즉 하나님의 말씀임을 믿고 그 길을 가는 회사를 만들기로 결단했다. 우리 회사에 들어오는 모든 사람은 회사의 이런 창업 정신에 동의해야만 한다. 그렇지 않으면 일단 들어오더라도 오래 버티지 못하기 때문이다.

Earn trust

고객의 신뢰를 얻는 회사

≡ 잠언 31장 11절 ≡

Her husband has full confidence in her
and lacks nothing of value.

그런 자의 남편의 마음은 그를 믿나니
산업이 핍절하지 아니하겠으며

여기에 등장하는 남편을 클라이언트, 즉 고객으로 바꾸면 'Our client has full confidence in us'가 된다. 즉 고객에게 항상 신뢰받는 회사가 되어야 한다는 뜻으로 해석하고 그렇게 되도록 최선을 다한다.

우리 고객 중에 레니 비어(Lenny Bier)라는 사람이 있다. 그는 주차 관련 법과 소송을 전문으로 하는 변호사다. 뉴저지에 사는 그는 작은 도시의 주차 관련 자문을 하기 때문에 전국에 아는 사람이 많다. 미국에는 주차장, 항공, 부두의 모든 시설을 관리하는 정부 위임기관이 있는데 이 기관에서 문제가 있을 때 레니 비어를 부른다. 내가 그를 안 지는 오래되었는데 그를 통해 우리가 설계한 건물만 해도 20~30개는 될 것이다. 그런데 레니 비어는 이상하게도 우리 회사를 좋아한다. 좋은 건수만 있으면 우리에게 알려 주고 한 푼의 대가도 받지 않는다. 미국에는 합법적 커미션이란 개념이 없다. 모든 대가성 수수료는 뇌물로 취급한다. 그런 사회에서 레니처럼 우리를 믿어 주는 고객이 있다는 것은 참으로 감사한 일이다. 그의 전적인 신뢰는 우리에게 큰 힘이 됨과 동시에 고객의 신뢰를 받는 것이 얼마나 중요한가를 일깨워 준다.

"Lacks nothing of value"란 가치 있는 것에 모자람이 없다는 뜻이다. 즉 필요한 모든 것을 갖추었다는 뜻이다. 이 말씀을 기업에 적용하면 고객이 우리에게 맡긴 일을 100퍼센트 만족스럽게 해내야 하고, 고객이 필요로 하는 모든 것을 우리 회사가 갖추어야 한다는 의미로 해석할 수 있다. 이를 개인으로 적용하면 직원인 내가 고객뿐 아니라 회사에 그런 사람이 되어야 한다는 의미다. 그런 사람은 언제나 신뢰를 받고 고객과 경영진을 만족시킬 수 있다.

그런데 직장생활을 하다 보면 특히 경영진 혹은 자기 상사와의 관계를 소홀히 해서 신뢰를 잃는 사람이 종종 있다. 가벼운 거짓말을 별것 아니라고 생각하지만 사소한 거짓말에서 인간관계에 금이 가기 시작한다. 예를 들어 아프다고 거짓말을 하고 하루 결근했다고 하자. 사실 그는 어제 기분 나쁜 일이 생겨서 도저히 회사에 갈 마음이 아니었거나 가족이나 친구들이 놀러 가자고 해서 결근을 한 것이다. 다음 날 출근할 때 그는 절대 밝은 얼굴을 할 수가 없다. 하나님이 우리를 만드셨기 때문에 아무리 감추려 해도 얼굴에 나타날 수밖에 없다. 우리는 거짓말을 들키지 않을 거라 생각하지만 삶에서, 얼굴에서, 태도에서 거짓말은 드러나게 되어 있다.

이것은 아내나 남편이 바람을 피우면 배우자가 금방 알아채는 것과 같다. 배우자에게 뭔가 숨기는 게 있으면 예전에는 대화를 나눌 때 80퍼센트 이상 눈을 쳐다보고 말했는데 10퍼센트밖에 눈을 똑바로 볼 수 없게 된다. 그런 작은 변화가 배우자에게 감지되는 것이다. 아무리 감쪽같이 속였다 해도 이후 어떤 태도나 표정에서 드러나게 되어 있다. 그것이 하나님이 우리를 만드신 창조 원리다.

직장에서도 마찬가지라서 상사는 부하 직원의 작은 변화에도 '저 친구가 뭔가 달라졌다'고 느낀다. 그런 것이 신뢰관계를 무너뜨리는 것이다. 대부분의 직원들은 상사에게 불만이 많다. 그러나 내가 볼 때 그런 불만족스러운 상황을 만든 원인의 60~70퍼센트는 그 본인에게 있는 것을 본다. 상사나 경영자는 보는 눈이 다르기 때문에 직원들의 변화를 예민하게 감지한다. 이미 상사나 경영자에게 신뢰를 잃었기 때문에 불만이 생기는 것이다.

고객도 마찬가지다. 자기 거래처가 최선을 다하고 있는지, 담당 직원이 진실을 말하고 있는지를 감지할 수 있다. 고객에게 신뢰받으려면 사소한 거짓말도 해서는 안 되는 것이다.

Be kind

상처를 주지 않는 회사

≡ 잠언 31장 12절 ≡

She brings him good, not harm,
all the days of her life.

그런 자는 살아 있는 동안에
그의 남편에게 선을 행하고 악을 행하지 아니하느니라

현숙한 여인은 살아 있는 동안에 그 남편에게 선한 일을 가져온다. 선을 베푼다는 뜻이다. 같은 맥락에서 우리는 고객에게 항상 최선의 대우를 하기 위해 노력한다. 이것은 당연한 일이다. 또한 예수님이 사랑하라고 하면 사랑하고 온유하라고 하면 온유하고 참으라고 하면 참고, 고객을 예수님처럼 대하고 섬긴다. 그리고 평생 그 마음과 의리를 저버리지 않는다.

7~8년 전의 일이다. 레니가 수술을 했다는 소식을 듣고 달려갔다. 그는 유대인이었다. 그래서 구약 말씀을 읽고 기도해 주었더니 고마워했다.

"All days of her life"(평생에 걸쳐), 그렇게 오랫동안 인간관계를 유지하려면 어려울 때 달려가야 한다. 고객이나 파트너가 상을 당하면 만사 제쳐두고 달려가야 한다. 그것이 비즈니스에 도움이 되어서가 아니라 성경적이기 때문이다.

우리는 일단 고객이 된 상대에게는 그 사람이 돈을 많이 주든 아니든, 약속은 약속이기 때문에 그에게 좋은 것을 주기 위해 노력한다. 아무리 힘들어도 그에게 평생 영원히 해를 끼쳐서는 안 된다고 생각한다.

보통 고객이 돈을 많이 지불하지 않으면 "대충 해 줘서 끝내"라고 말하는데 우리 회사는 그런 식의 일처리는 엄격히 금하고 있다. 계약이 1억짜리든, 10억짜리든 똑같은 태도로 최선을 다하도록 한다. 사실 10억짜리 고객에게 하는 서비스를 1억짜리 고객에게도 똑같이 제공하기란 쉽지 않다. 하지만 이것을 잘하는 기업은 확실하게 성공할 수 있다고 믿는다.

나를 힘들게 하는 고객은 평생 따라다닌다. 두 번, 세 번 찾아와 고생시킨다. 그도 자신이 상대를 힘들게 한다는 사실을 안다.

경제가 어려워지면서 마이애미 지사를 그만두어야 하나 고민할 즈음에 그 골치 아픈 고객이 왔다. 다른 회사와 건축을 진행하다가 마음에 들지 않아서 우리를 찾아온 것이다. 그래서 정말 저렴한 가격에 계약해서 공사를 시작했다. 중간에 요구하는 것도 많고 직원들을 어지간히도 성가시게 했지만 나나 직원들이나 일단 하기로 한 일은 최선을 다한다는 것이 원칙이었기에 최대한 그의 요구를 들어 주면서 일을 잘 끝냈다.

2~3년 후 그가 다시 계약을 하자고 연락이 왔는데 첫 번째와 같은 금액을 제시했다. 수익 계산을 해 보니 남기는커녕 오히려 우리 회사가 공사비를 더 부담해야 했다. 그래서 "말도 안 된다. 도리어 손해가 난다"면서 그가 제시한 금액의 2배를 요구했다. 공사를 안 하더라도 그 이하로는 계약을 하지 않을 셈이었다. 그런데 그다음 날 그로부터 전화가 왔다. 원하는 대로 줄 테니 계약을 하자는 것이었다.

그 계약을 하면서 나와 직원들은 다시 한 번 '우리가 불편해도 고객을 만족시키면 그는 다시 우리를 찾는다. 하지만 고객이 불편하면 다시는 우리를 찾지 않는다'는 사실을 확신할 수 있었다.

계약 금액에만 연연해서 인색하게 굴면 우리 회사를 좋아할 고객은 없다. 우리 회사 고객의 재구매율은 80퍼센트가량인데 그들에게 처음에 100달러를 받았다면 두 번째는 120달러를 받는 게 통상적이다. 안 그러면 손해다. 그 120불 안에는 그 계약을 따내기 위한 영업비용이 적어도 30~40달러는 포함되어 있다. 회사가 클수록 사람을 만나야 하고 협회에 가서 인사도 하고 기부도 해야 한다. 근사한 저녁 한 끼를 같이해야 할 일도 많다. 내 시간과 돈이 엄청나게 들어가는 것이다. 반면에 다시 찾아온 고객은 이미 마음이 맞은 상태라 사무실에 앉아서 다른 일하다가 서로 전화로 '오케이 사인'만 하면 된다. 그러니 이런 부분을 생각하면 당장은 손해 보고 힘들어도 고객이 원하는 것을 최대한 해 주는 것이 더 쉬운 길이다.

영업 활동을 하나도 하지 않고 100달러짜리 재계약을 했다면 그 계약은 130, 140달러 이상의 계약이나 마찬가지다. 비즈니스를 오래 안 해 본 사람은 모른다. 120달러를 자꾸 주장하면 고객을 잃는다. 그렇게 작은 것을 포기하지 못해서 고객을 잃으면 새로운 고객을 확보하기 위해 정신없이 돌아다니게 되고 그러면 악순환을 반복하게 된다.

기존 고객의 80퍼센트가 다시 우리에게 일을 맡겨야 회사가 성장한다. 재구매율이 60~70퍼센트 되는 회사는 현상 유지에 그친다. 80퍼센트 이상의 재구매율을 유지하려면 마케팅이 아닌 다른 방법으로 고객을 유지해야 한다. 그래서 나는 중역과 직원들에게 가능하면 더 애정을 가지고 참아 주라고 말한다. 고객들도 내 행동을 보면서 참고 있다는 것을 알아챈다. 서로 알기 때문에 갈수록 호흡을 맞춰 나가기가 쉽다.

Provide

인정을 베푸는 회사

≡ 잠언 31장 15절 ≡

She gets up while it is still dark;
she provides food for her family and portions for her servant girls.

밤이 새기 전에 일어나서
자기 집안사람들에게 음식을 나누어 주며 여종들에게
일을 정하여 맡기며

13, 14절의 "그는 양털과 삼을 구하여 부지런히 손으로 일하며 상인의 배와 같아서 먼 데서 양식을 가져 오며"(She selects wool and flax and works with eager hands. She is like the merchant ships, bringing her food from afar)와 일맥상통하면서도 그 결과에 해당하는 말씀이 15절이다.

'아직 동이 트지 않았을 때 일찍 일어난다'(She gets up while it is still dark)는 미국 비즈니스 문화와 잘 어울리는 말씀이다. 어렸을 때 아버지에게 들은 이야기가 있다. 아버지는 처음 미국에 와서 청소부 일을 했을 때 밤새 청소하고 소파에서 쪽잠을 잔 뒤 새벽에 퇴근을 하곤 했는데, 아버지가 퇴근할 즈음 대개 그 회사 사장이 가장 먼저 출근했단다. 아버지는 그것이 매우 성경적이라면서 자주 이 이야기를 해 주었다.

지금도 미국 회사의 사장들은 가장 먼저 출근해서 회사의 문을 열고 커피를 탄다. 하지만 한국은 이와 정반대로 직원이 먼저 회사에 와서 문을 열고 커피를 타고 일할 준비를 해 놓으면 그제야 사장이 출근하는 경우가 많은 것 같다.

"She provides food for her family and portions for her servant girls", 즉 여인이 자기 가족에게 줄 음식도 준비할 뿐 아니라 여종에게도 자기 몫을 준다고 한다. 개역개정은 'portion'을 '맡긴다'로 해석했는데 여종에게도 먹을 것을 준다는 뜻이다. 일을 준다는 것은 일을 시킨다는 것이 아니라 먹을 것을 제공한다는 뜻이 더 강하다.

이것을 회사에 적용해 보면, 흔히 내가 만든 회사가 벌어들인 돈은 당연히 내 것이라고 생각하지만 그것은 성경적이지 않다. 성경은 그 돈을 종들에게도, 즉 직원들에게도 주라고 한다. 그래서 우리 회사는 수익이 생기면 그 수익의 일부를 직원들에게 보너스로 지급한다. 물론 한국의 기업들도 보너스를 지급하지만 미국에는 그런 문화가 없다. 왜냐면 한국처럼 밤 10시, 11시까지 일하지 않기 때문이다. 시간제로 일하고 일한 만큼 대가를 지불한다는 것이 기본 생각이다. 하지만 우리 회사는 예상 외의 수익이 생기면 그것을 직원들과 나누는 것을 당연한 일로 여긴다. 하나님께서 말씀을 통해 '인정을 베풀라'고 하셨기 때문이다.

사실 하나님의 기업가라면 15절에 나온 것처럼 '동이 트기 전'에 일어날 뿐 아니라 14절에서처럼 '멀리서 양식을 구하여 가져오는 상인의 배'와 같아야 한다. 그렇게 위험을 감수하고 가져온 일거리를 직원들에게 맡기고 일한 대가를 주어야 한다. 그렇게 인정을 베풀 때 직원들의 사기도 오르고 일의 능률도 높아진다.

Invest prudently

신중하게 투자하는 회사

≡ 잠언 31장 16절 ≡

She considers a field and buys it;
out of her earnings she plants a vineyard.

밭을 살펴보고 사며
자기의 손으로 번 것을 가지고 포도원을 일구며

이 말씀은 비즈니스에서 매우 중요하다. 기업가는 밭을 사는데 무엇으로 사느냐면 자기가 번 돈으로 산다. 즉 사업을 시작할 때 남의 돈이 아닌 자기 돈으로 한다는 뜻이다. 그런데 많은 창업자들이 비즈니스를 할 때 돈을 빌린다. 수천만 원은 예사고 몇 억씩 돈을 빌린다. 그러나 성경은 자기 돈으로 포도원을 사라고 분명히 가르치고 있다.

물론 빚을 지고 사업해서 성공하면 그만이라고 생각할지 모르지만, 그리스도인들에게 중요한 것은 하나님의 말씀을 지키는 것이다. 이 말씀을 지키면 하나님이 우리의 사업을 축복하신다. 자녀가 부모의 말을 따르고 순종하는데 도와주지 않을 부모가 어디 있는가. 하나님의 말씀에 따라 내가 번 돈으로 사업을 시작하자니 당연히 힘에 부친다. 그러니 하나님의 말씀에 순종하면 하나님께 더 매달릴 수밖에 없다. 기도하고 은혜를 구할 수밖에 없다.

반면에 말씀을 따르지 않고 가족이나 친지에게 돈을 빌려서 사업을 시작하면 하나님께 매달리지 않게 된다. 은행 대출은 신용이든 담보든 자신을 담보하기 때문에 넓은 의미에서 자기 돈이라고 할 수 있다. 그런데 문제는 자기 돈도 없고 대출도 받을 수 없는 사람이 남에게 돈을 빌려서 사업을 시작하는 것이다.

나 역시 남의 도움을 받지 않았기 때문에 사업을 시작할 돈이 없었다. 그래서 우리 집 차고에다 사무실을 차렸다. 그리고 예배는 거실에서 드렸다. 뭔가 할 수 있겠다는 희망은 커져 갔지만 수중에 돈은 없었다. 돈을 벌어서 어려운 사람을 돕겠다는 마음만 간절했다. 게다가 처음에는 설계 일을 해도 큰돈이 들어오지 않았다.

아내는 사업을 시작하려는 나를 이해하지 못했다. 당시만 해도 나는 회사 중역이었기 때문에 일을 조금 줄이고 그냥 회사를 다니면 생활이 안정될 텐데 왜 굳이 사업을 시작하려는지 알 수가 없다는 것이었다. 아내는 그렇게 1년 동안 창업을 반대했다. 하지만 나는 계속 아내를 설득했다. 아내는 규칙적인 수입이 없어진 상황에서 만일 내가 다시 아프기라도 할까 봐 걱정이었다.

그렇게 1년쯤 지난 어느 날 의사인 내 동생이 "사업을 시작하는 데 얼마가 필요해?"라고 물었다. 내 사업에 투자를 하고 싶다는 것이었다. 의사가 개업을 하려면 최소 20만 달러가 들어간다. 그러니 동생은 내 사업에도 큰돈이 필요할 거라 생각한 것이다.

"좋은 컴퓨터 한 대만 있으면 돼."

2주 후, 문 앞에 큰 박스 3개가 배달됐다. 열어 보니 하나는 컴퓨터 본체, 하나는 모니터, 하나는 컴퓨터용 액세서리가 있었다. 그걸 들여놓으며 아내를 보니 아내도 '드디어 시작하는구나' 하는 표정으로 반은 체념하는 눈치였다. 그렇게 사업을 시작했다. 남동생에게 선물로 받은 컴퓨터 세트 한 대가 전부였다. 당시 내 손엔 현금이 한 푼도 없었다.

그런데 큰 회사를 다니다가 집 차고에서 일을 하려니 말처럼 쉽지 않았다. 첫 3개월은 너무나 힘들었다. 회사에선 많은 사람들과 만난다. 그 만남에서 얻는 에너지가 있다. 그런데 차고에 혼자 있으려니 자꾸 위축되었다. 그래서 집과 붙어 있는 차고의 사무실로 갈 때 정장을 하고 출근했다. 전쟁을 하는 심정으로 하루하루를 보냈다.

처음에는 아무 일도 일어나지 않았다. 하지만 나는 무리하게 남의 돈을 빌리지 말고 자기 능력껏 사업을 하라는 말씀에 순종하며 기다렸다. 그랬더니 어느 날부턴가 어마어마한 축복이 부어지기 시작했다.

첫 고객은 MBNA라는 미국의 신용카드 회사였다. 지금은 뱅크오브아메리카(Bank of America)로 바뀌었는데 이 회사는 당시 비자, 마스터카드를 하는 곳으로 그 분야에서는 미국 랭킹 2위의 큰 회사였다. 그런 회사에서 당시 진행 중이던 공사의 감독을 해달라고 연락이 온 것이다. 하지만 현장 감독을 하기에는 내 몸이 온전치 않았다. 감독이라면 새벽 5시에 현장에 나가서 밤늦게까지 공사 과정을 관리해야 한다. 먼지가 풀풀 날리는 현장에서 하루 종일 일을 한다는 것은 호흡이 안정되지 않은 나로선 엄두도 낼 수 없었다. 어쩔 수 없이 거절하려는데 내가 워커사에 다닐 때 내 손으로 고용한 친구에게서 전화가 왔다. 그는 내 밑에서는 일을 잘하는데 다른 사람하고는 맞지 않는다며 나한테 오고 싶다는 것이었다. 나는 뛸 듯이 기뻐하며 그 친구를 불러 감독으로 보냈다.

그렇게 그 프로젝트를 하면서 공사를 담당하는 총책임자와 이야기를 나눌 기회가 있었는데 그가 내게 설계 건을 하나 맡겼다. 주차장과 오피스 빌딩을 함께 설계해야 하는 일이었다. 상당히 큰 프로젝트였기 때문에 여러 건축가들이 모여서 함께 회의를 했는데 중요한 회의 때마다 그 총책임자는 나를 참석시켰다. 좀 의아하긴 했지만 나로선 그 자리를 거절할 이유가 없었기 때문에 부를 때마다 참석해서 열심히 의견을 내기도 하고 회의 모습을 지켜보기도 했다. 그렇게 3개의 프로젝트가 이루어지는 동안 3년이 지나갔다.

어느 날 내게 일을 준 회사의 회장 비서로부터 전화가 왔다. 그는 '로저 크로지어'(Roger Crozier) 씨가 돌아가셨다면서 그의 장례식에 꼭 참석해 달라고 부탁했다. 정말 알 수 없는 일이었다. 로저 크로지어는 그 기업의 총수였다. 그런 분의 장례식에 나 같은 하청업자더러 참석하라고 직접 전화를 걸어 준 것이다! 그런데 더 놀라운 것은 그 분이 돌아가시기 전에 나에 관한 유언을 남기셨다는 사실이다.

알고 보니 공사 총책임자가 내게 일을 맡긴 것도 로저 크로지어 회장의 부탁이었다. 이유인즉슨, 내가 그 회사와 처음 일을 시작할 즈음, 로저 크로지어 회장은 암에 걸려 시한부 인생을 선고받은 상태였다. 과부 사정은 홀아비가 안다고 했던가. 어디서 들었는지 내가 심장이식수술을 받고 사업을 시작했다는 사실을 안 로저 크로지어 회장은 자신의 마지막 생명을 주는 심정으로 나를 도와주었다는 것이다. 나중에야 그 사실을 전해듣고 나는 뭐라고 형언할 수 없는 감동과 감사에 사로잡혔다. 나는 그 회사가 원하는 대로 설계를 해 주었을 뿐 밥 한 끼 같이한 적도 없다. 그런 분에게 이렇게 과분한 도움을 받았으니, 오로지 하나님의 은혜였다.

그런데 로저 크로지어 회장이 나에게 그런 호의를 가지고 공사를 주었다는 사실이 알려지면서 우리 회사는 업계에서 한 순간에 유명세를 타게 되었다. 문을 연 지 얼마 안 된 신생회사가 대기업의 프로젝트를 맡게 되자, 모두들 의아해했다. 그래서 나는 심장이식 사실을 공개했다. 그러자 이 사실이 호기심을 증폭시켜 축복이 되어 돌아왔다. 사람들은 나에게 일을 주고 나를 만나 그 이야기를 듣고 싶어 했다. 그렇게 들어온 설계 의뢰가 한두 건이 아니었다. 이렇게 나의 가장 약함이 나의 가장 강함이 되었다. 모두가 주님의 역사하심이었다.

MBNA와 공사를 하는 동안 템플대학에서 새로운 일이 시작되었다. 템플대학과 나는 특별한 인연이 있었다. 처음 내가 심장이식수술을 받은 곳은 내가 졸업한 모교인 유펜(University of Pennsylvania) 의대병원이었다. 그런데 수술이 끝난 뒤 내 담당의사인 하워드 아이젠(Howard Eisen) 박사가 템플대학(Temple University)으로 자리를 옮기고는 내게도 자신이 계속 봐 줄 테니 템플대학병원으로 오라고 했다. 나도 그를 따라갈 수만 있다면 나쁠 게 없었다. 하지만 나는 당시 비싼 대학병원의 진료를 받을 형편이

못 됐다.

처음 쓰러져서 병원에 입원했을 때, 나의 의료보험 한도액은 100만 달러, 한국 돈으로 10억이었다. 그런데 유펜에서 수술을 받는 동안 그 보험료를 다 써 버렸다. 그나마도 병원의 배려 덕분에 6개월을 병원에서 버틸 수 있었다. 보험료는 입원한 지 5개월 만에 이미 바닥이 나 버렸다. 그도 그럴 것이 나는 하루에 3000달러씩 내야 하는 중환자실에 있었고 수술을 네 차례나 받았는데 한 번 수술받을 때마다 20만 달러, 즉 2억씩 들었다. 거기에 별도로 주사 비용과 약값도 있었으니 실제 병원비는 10억이 훨씬 넘었다. 그 막대한 보험료를 다 써 버린 나를 어느 보험회사에서도 받아 주지 않았다.

게다가 나는 퇴원을 하고도 계속 약을 먹어야 했는데 그 돈이 매달 약 1500달러나 됐다. 그 약값도 부담스러운 형편이다 보니 당장에 무슨 일이 생긴다 해도 비싼 대학병원의 진료를 받을 엄두가 나지 않았다. 그래서 아이젠 박사에게 "가고 싶기는 하지만 지금은 돈이 없어서 못 간다"고 솔직하게 말했다.

그런데 생각해 보니 내가 세운 회사가 있기 때문에 큰 금액은 아니나 회사 보험이 가능해진 상황이었다. 그럴 즈음 템플대학병원에 와서 치료를 받으라는 편지를 받았다. 나는 병원장을 찾아가 이렇게 상상도 못한 배려를 해 준 것에 대해 감사하다고 한 뒤 변변치는 못하나 보험이 있다는 사실을 알렸다. 그러고는 그에게 이렇게 말했다.

"이제 의료보험을 구했으니 매달 보험료를 낼 돈이 필요합니다. 저에게 설계 프로젝트를 주십시오."

한마디로 치료받을 돈을 벌어야 하니 일거리를 달라고 한 것이다. 그런데 놀랍게도 병원장이 그 자리에서 템플대학 공사 담당 건축가인 조지 슈미트하이저(George Schmidheiser)에게 편지를 써 줬다.

"조지, 팀을 고용하세요"(George! Retain Timhaahs).

그 일이 있은 지 얼마 안 돼 건축가 조지가 1700대의 차량을 수용할 주차 빌딩 설계를 해 보겠느냐고 내게 물었다. 1700대 규모의 주차장 공사라니! 우리 회사로선 꿈도 못 꾼 공사 기회를 나에게 선뜻 준 것이다. 나는 뛸 듯이 기뻐하며 이렇게 대답했다.

"Sure I can do this!"(물론 할 수 있습니다!)

하지만 넘어야 할 산이 있었다. 템플대학은 주립대학이기 때문에 큰 공사를 할 때는 공사 내용에 대해 정부의 감사를 받아야 했다. 나는 물론 이 공사를 해낼 자신이 있었지만 공사 규모에 비해 개업한 지 고작 3~4개월밖에 되지 않은 우리 회사의 규모가 너무 형편없었다. 직원이라곤 사원 1명과 아내가 전부였다. 이 사실을 병원장에게 말했다.

그러자 병원장은 아주 간단하게 "그건 당신 문제"라고 말할 뿐이었다. 이 말은 "그건 당신 문제이고 우리는 상관없으니 알아서 하라"는 뜻이었다. 나는 담당관을 만나 솔직하게 우리 회사 사정을 말했다. 그런데 그 역시 이미 알고 있었는지 크게 문제 삼지 않고 계약을 허락해 주었다. 그렇게 해서 우리는 템플대학 주차장 건설 공사를 시작하게 되었다. 회사를 시작한 지 불과 몇 개월 만에 모든 건축 설계 회사가 부러워하는 대규모 설계를 맡은 것이다.

템플대학병원의 결정은, 눈으로 보면서도 믿을 수 없는 기적이었다. 나는 그저 그들의 환자 중 한 사람일 뿐이고 겨우 구멍가게 수준은 벗어났지만 그럼에도 형편없는 규모의 작은 회사를 운영하는 사람이었다. 게다가 당시는 1994년, 미국의 경제 불황이 가장 심각하던 때였다. 그런 시기에 내가 MBNA라는 큰 회사의 공사와 템플대학병원 주차장 공사까지 맡게 되자, 업계의 모든 사람이 놀랐다. 그 큰 프로젝트를 집 차고에서 다 해낸 것이다. 물론 내 담당의사인 하워드 아이젠 박사의 역할도 분명 있었겠지만, 그 뒤에서 일을 하신 분은 하나님이시라는 사실을 나와 아내는 잘 알고 있었다.

자기 돈으로만 사업을 시작하려면 변변찮아 보일 수밖에 없다. 남의 돈을 빌려서 크게 시작한 사람들에 비하면 기대감도 별로 없다. 하지만 5년이 지난 뒤에 보면 남의 돈을 빌려 사업한 곳은 문을 닫을 가능성이 높다. 자기 돈으로 하지 않아서 그렇다.

우리는 누구의 돈으로 사업을 하는 것이 더 안전한가를 생각해야 한다. 부자인 친척인가 하나님인가. 우리는 자주 하나님이 얼마나 부자인가를 잊어버린다. 부자가 돈이 더 많은가, 하나님이 더 많은가. 부자는 우리가 꼭 필요할 때 돈을 줄 수 없는 형편이 될 수도 있다. 그러나 하나님은 다르다. 하나님은 당신을 믿고 사업하는 자녀에게 언제 얼마나 되는 돈이 필요한지 더 잘 아신다.

나의 이야기가 KBS-TV 〈글로벌 성공시대〉에 소개된 뒤로 한국에서 수많은 편지가 왔다. 그중에는 '사업 자금을 투자해 달라'는 요청도 있었다. 일면식도 없는 나에게까지 창업 자금을 빌려 달라고 할 만큼 한국에서는 창업을 할 때 남의 돈으로 하는 것이 당연한 것 같다. 그것도 남의 돈으로 단번에 자기 사업의 모든 문제를 해결하려는 경향이 있다. 그것이 정치와 결탁하는 이유이고, 뇌물을 주고받는 원인이다. 사업은 남의 돈으로 해서는 안 된다. 자기가 땀 흘려 번 돈으로 포도밭을 사라.

Work diligently

다 함께 뛰는 회사

≡ 잠언 31장 17절 ≡

She sets about her work vigorously;
her arms are strong for her tasks

힘 있게 허리를 묶으며
자기의 팔을 강하게 하며

하나님의 비즈니스맨은 힘 있게 허리를 묶고 자기 팔을 강하게 한다고 한다. 무슨 뜻일까? 한국말로 보면 이해가 어렵지만 영어로 보면 뜻이 선명해진다. 그녀의 팔은 일을 할 만큼 강하다는 뜻이다. 거꾸로 봐도 팔이 강한 것은 그만큼 일을 했기 때문이라는 사실을 말한다. 이 말씀을 생각하면 노예제도가 잘못되었다는 사실을 알 수 있다. 노예는 자기가 해야 할 일을 자기가 하기 싫은 때 필요한 존재다. 자기가 할 일을 시켜 놓고는 하지 않으면 학대하고 심지어 죽이기까지 한다. 그런 사람들의 팔은 약하고 배만 나온다. 성경에도 노예가 나오긴 하지만 스스로 일을 하라고 말씀하고 있다.

'힘 있게 허리를 묶는다'는 영어로 "She sets about her work vigorously"다. 즉 자기가 맡은 일을 열심히 한다는 뜻이다. 이 말씀을 하나의 장면으로 묘사해 보면 봉제공장에서 사장과 노동자가 함께 일을 하는 것이다. 전쟁터에서도 장교가 앞으로 나서야 병사들이 뒤따라 움직인다. 그래야 말 그대로 지휘관이다. 만일 지휘관이 "난 뒤에 있을 테니 너 나가서 싸워라" 하면 그 전쟁의 끝은 보나마나다. 비즈니스 현장에서도 똑같다. 오너가 일을 열심히 해야 직원들도 열심히 한다. 이 말씀은 회사를 운영할 때 오너가 어떤 자세여야 하는지를 가르치고 있다.

영어 'vigorously'는 상당히 센 어감을 가진 단어다. 운동을 할 때도 아주 열정적으로, 의욕적으로 할 때 이 단어를 쓴다. 히브리어 원어도 마찬가지다. 그렇게 했기 때문에 팔이 강해진 것이다. 사장의 팔이 강해야 일이 돌아간다.

그런 점에서 독일 사람들 중에는 성경적으로 살아가는 사람이 많다. 내가 다니던 회사의 부사장이던 짐 에버트(Jim Ebert)도 그런 사람이었다. 나는 그의 회사에서 10년간 일했는데 그의 성경적인 '고결함'을 말해 주는 사건이 있었다. 그는 56세 때 은퇴를 했다. 사실 내가 29세에 회사 중역이 될 수 있었던 것은 그가 은퇴를 빨리 했기 때문이다.

그가 일찍 은퇴한 이유는 큰 회사 설립에 성공했고 재정적으로 여유가 있었기 때문이다. 그는 더 이상 세상적 성공을 꿈꾸지 않고 평범한 가장으로 돌아가 자기가 세운 회사의 컨설팅이나 해 주면서 살고자 했다. 그런데 그가 고용하고 승진시킨 그 중역들이 그를 고용해 주지 않았다. 그는 큰 상처를 입고 나를 찾아왔다. 나는 함께 비즈니스를 하고 수익은 똑같이 나누자고 제안했지만 그는 자기가 일한 만큼만 보수를 주면 된다고 했다. 처음에는 일주일에 하루 정도만 일하고, 회사가 바빠지면 근무 시간 중 반 정도만 일하겠다고 했다. 하지만 곧 회사가 바빠지자 그는 근무 시간의 3/4가량 일하고 일한 만큼만 월급을 받았다.

그러다 내가 심장 이상으로 다시 쓰러져 두 번째 입원을 했을 때는 그가 나를 대신해서 일주일 내내 나와서 일해 줬다. 그러자 회사가 빠르게 성장했다. 그와 함께할 수 있어서 우리 회사는 성장할 수 있었다. 존경하는 업계의 선배를 부사장으로 모시고 일하니 늘 마음이 든든했다. 실제로 그는 내가 하기 어려운 문제들을 척척 해결해 주었다.

그러니까 나는 본격적으로 일을 하게 되었을 때 짐 에버트 부사장과 놀리(Noli), 그리고 아내와 나 대신 현장 감독을 나간 젊은 친구 휴 버비지(Hugh Borbidge), 이렇게 네 명과 함께 회사를 시작한 것이다. 처음에는 짐 에버트가 전체 설계를 다 했다. 그는 항상 나보다 먼저 일어나 회사 문을 열고 커피도 자기가 내렸다. 말씀 그대로 '자기 허리를 힘 있게 묶고' 일하는 분이었다. 그런 그가 있어서 나는 더 열심히 일할 수 있었다.

내가 하는 일은 건축 설계다. 그런데 이 분야는 제조업이 아닌 서비스 분야다. 서비스 분야의 비즈니스를 어떻게 해야 하는가를 나는 의사들을 보면서 답을 얻곤 했다. 돈을 많이 버는 의사들은 정말 열심히 일한다. 의료비도 비싼데 의사가 만일 환자를 간호사에게 맡기면 환자들은 다른 병원으로 가 버린다. 의사가 단 5분이라도 환자들을 직접 진료하기 때문에 병원이 유지되는 것이다.

회사도 마찬가지다. 내가 매일 일찍 출근해서 하루 종일 열심히 일하고 부지런히 사람들을 만나 비즈니스를 하기 때문에 직원들도 열심히 일하는 것이다.

Make profit

이윤을 창출하는 회사

≡ 잠언 31장 18절 ≡

She sees that her trading is profitable,
and her lamp does not go out at night.

자기의 장사가 잘되는 줄을 깨닫고
밤에 등불을 끄지 아니하며

이 말씀은 잘못 해석하면 오해가 있을 수 있다. 개역개정은 "자기의 장사가 잘되는 줄을 깨닫고 밤에 등불을 끄지 아니하며"라고 해석하고 있는데, 사실 그런 뜻이 아니다. 먼저 첫 번째 문장을 살펴보자.

She sees that her trading is profitable,

여기서 잘못 해석하기 쉬운 단어가 'sees'다. 'see'는 단순히 '본다'는 뜻이 아니라 집중한다, 더 나아가 '그렇게 되도록 만든다'는 의미다. 즉 장사가 수익이 생길 수 있도록 집중해서, 때론 다양한 방법을 찾아서 열심히 수익을 남길 수 있도록 노력한다는 뜻이다. 그리고 쉼표 후에 다음 문장으로 연결된다. 두 문장 사이의 쉼표는 앞 문장이 원인이 되고 뒤 문장은 그 결과를 말하는데 그 내용이 다음과 같다.

and her lamp does not go out at night.

이 말을 단순히 해석하면 말 그대로 밤새 불이 꺼지지 않는다는 뜻이다. 그래서 우리는 흔히 잠을 자지 않고 열심히 일했다고 해석한다. 틀린 말은 아니다. 하지만 이 글의 중심은 '등불'이다. 등불을 밤새 밝히려면 오일이 필요하다.

즉 수익을 남길 수 있게 열심히 일해서 밤새 불을 밝힐 수 있게 되었다는 얘기다. 우리가 알고 있는 것과 전혀 다른 뜻인 것이다. 기름은 에너지다. 아껴야 하는 대상이다. 그래서 밤에는 불을 끈다. 넉넉할 때만 밤에 불을 밝힐 수 있다. 즉 수익을 남기도록 열심히 일해서 넉넉하게 자원을 공급하게 된 상황을 묘사한 말씀이자, 그렇게 할 수 있도록 해야 한다는 말씀이다.

어떤 보수적인 신앙인이 한 회사가 돈을 많이 번다는 것을 알고는 '성경적이지 않다'고 비난했다. 그때 나는 그에게 "돈을 많이 버는 것 자체가 성경적이지 않다는 말씀이 어디 있느냐"고

되물었다. 돈의 주인은 하나님이시다. 하나님이 허락하시면 많이 벌고 적게 버는 것은 전혀 문제가 되지 않는다.

더구나 여기에 나오는 'profit'은 단순히 경제적인 이익만을 말하는 게 아니다. 영적인, 사람에 관한 열매도 해당된다. 나는 늘 내 회사가 사업을 하는 지역이나 공동체 안에서 하나님이 기뻐하실 만한 열매를 얼마나 맺고 있는지를 돌아본다. "Her lamp does not go out at night"는 단순히 내 회사가 윤택해지는 데 그치지 않고 내가 속한 지역도 그렇게 되도록 해야 한다는 의미다. 불경기가 찾아오거나 갑자기 어려움을 당한 이웃이 생겼을 때, 혹은 상습적인 빈곤 지역이 있을 때, 그런 곳에도 넉넉하게 오일이 공급돼 불을 밝힐 수 있도록 우리가 열심히 일해 수익을 내야 한다고 생각한다.

나는 사실 돈에 대한 욕심이 크게 없다. 남의 도움을 받지 않고도 먹고살 정도면 충분하다고 생각한다. 목회자인 아버지 덕분에 그런 생각을 자연스럽게 하게 된 것 같다. 아버지는 한센병 환자촌에서도 힘들게 살았고 미국에 와서도 경제적으로 정말 힘들게 살았다. 교회를 개척한 뒤에도 당시에 한인이 많지 않아서 이만저만 고생한 게 아니었다.

내가 갑자기 심장 이상으로 병원에 입원했을 때, 사람들은 이것은 '아버지의 뒤를 따라 목회자가 되라는 뜻'이라며 입을 모았다. 심지어 지금 당장 회사를 그만두고 신학교에 가면 심장이 깨끗하게 나을 것이라고 말하는 사람도 있었다. 그런데 그런 말을 듣고 가장 많이 화를 낸 사람은 바로 아버지였다. 나는 돈을 많이 벌고 싶었다. 그것이 나에게 어떤 특별한 '가치나 의미'가 있어서가 아니라 '필요'하기 때문이었다. 교회를 운영하기 위해서도, 어려운 이웃을 돕기 위해서도 돈이 필요했다. 내게 있어 돈은 그런 도구였다.

우리 회사는 나의 노력과 상관없이 하나님의 전적인 부으심으로 날로 확장되었다. 이미 회사는 내 것이 아닌 하나님의 것이 되었다.

마이애미와 애틀랜타에 지사를 세운 것도 전적인 하나님의 일하심이었다. 나는 원래 워싱턴 DC에만 지사를 세울 생각이었다. 미국의 수도에는 항상 돈이 있기 때문이다. 미국의 경제가 최악이던 지난 5년 동안에도 워싱턴 DC는 경제 사정이 가장 좋았다. 그다음으로 괜찮은 곳이 댈러스다. 석유가 있기 때문이다.

그런데 뜻밖에도 마이애미에 지사를 세우게 되었다. 마이애미에는 우리에게 공사를 의뢰한 고객이 있었는데 그는 원래 정부기관을 상대로 일을 하던 사람이었다. 하루는 그가 내게 이렇게 말했다.

"내가 다른 많은 회사들하고도 일을 해 봤는데 당신 회사가 참 좋습니다. 당신 회사는 다른 회사에서는 볼 수 없는 어떤 특별함이 있습니다. 당신 회사가 갖고 있는 원칙이나 당신 회사 사람들이 고객을 대하는 태도가 그렇습니다."

이 말을 할 때 그는 'presence', 즉 임재라는 단어를 썼다. 나는 이 단어를 들을 때마다 무척이나 기분이 좋다. 특별한 뭔가가 있다는 말을 할 때 이 단어를 사용하기 때문이다. 그리고 사실 틀린 말도 아니다. 우리 회사는 성령님이 운영하시는 회사다. 사람들은 성령님의 존재는 몰라도 우리를 통해 특별한 임재를 느끼는 것이다.

그러면서 그는 자신에게 막강한 인맥이 있다면서 마이애미에 지사를 내라고 권했다. 원하면 자기가 만들어 주겠다고까지 했다. 나로선 그의 권유를 거절할 이유가 없었다. 더구나 그는 성품이나 태도에서 믿을 만한 사람이었다. 나는 그를 믿고 회사를 설립한 뒤 그에게 회사의 모든 권리와 책임을 맡겼다. 하지만 이때도 잠언 31장을 설명하고 이 말씀에 기초한 회사 운영에 대한 원칙을 가르치는 걸 잊지 않았다. 그는 처음엔 자기 집에다 사무실을 내어 일을 했으나 곧 잘되어 근사한 사무실을 얻어 지금까지 잘 운영하고 있다.

애틀랜타 지사의 경우는 좀 다르다. 그는 고객이 아니라 일하다가 우연히 알게 된 사람이었다. 그 역시 우리 회사에 호감을 갖고 함께 일하고 싶다고 먼저 제의했다. 하지만 우리는 그때까지 애틀랜타에 회사를 둘 만한 준비가 되어 있지 않았다. 내가 생각 좀 해 보자 했더니 그는 기다리지 못하고 플로리다의 잭슨빌에 있는 건설회사로 가 버렸다. 그런데 1년 만에 그에게서 전화가 왔다. 그 회사의 사장이 자기를 좋아해서 간 것인데 그 사장이 그만 큰 실수를 해서 그만두어야 할 처지에 있는데 사장이 데리고 간 자기도 눈치가 보여 그만둬야 할 것 같다는 내용이었다. 그러면서 그는 아예 회사를 같이해 보자고 제의했다. 나는 흔쾌히 승낙했고 그에게 애틀랜타 지사를 만들도록 했다. 사실 그는 나보다 모든 면에서 능력이 뛰어난 사람이었다. 나는 애틀랜타 지사가 생긴 뒤 첫 2년간은 단 한 번도 간 적이 없다. 그가 아주 잘 경영하고 있었기 때문이다. 우리가 만날 일이 있으면 그가 오면 그만이었다.

이처럼 나는 평소에 사업을 확장하거나 공사를 따내기 위해 영업을 하지 않는다. 여기저기 전화를 걸고 식사나 술대접 같은 것도 하지 않는다. 나는 성격상 한번 같이 일해서 친해지면 밥도 같이 먹고 어울리지만 일면식도 없는 사람과는 밥을 같이 먹는 것도 잘되지 않는다. 다만 맡겨진 일에는 최선을 다한다. 그래도 고객의 80퍼센트가 우리 회사에 다시 일을 맡긴다. 재구매율 80퍼센트이면 굳이 영업을 할 필요가 없다.

그런데 언제부턴가 직원들은 나에게 '이상한 영업'을 하라고 조르기 시작했다. 그들의 대부분은 가톨릭 신자들로 교회에 다니지 않았지만, 그들은 내게 "회사에 있지 말고 선교활동을 더 하고 오라"고 주문했다. 이유는 이랬다. 내가 선교 컨퍼런스에 다녀오면 반드시 큰 공사 설계 의뢰가 들어왔던 것이다. 처음에는 그저 신기하게만 여기던 직원들이 큰 공사가 끝나고 한가해질 만하면 새 공사가 필요하다며 선교활동을 다녀오라고 내 등을 떠밀었다. 직원들도 이제 우리 일이 세상일이 아닌 사역과 연결되어 있음을 아는 것이다.

우리는 회사와 교회를 같이한다. 그래서 우리 직원들을 수용할 만한 사무 공간보다 훨씬 더 큰 공간이 필요하다. 그만큼 지출도 커진다. 하지만 하나님은 전혀 예상치 못한 설계 의뢰로 부족분을 채우셨다. 내가 영업 활동을 해서 계약을 성사시킨 것이 아니었다. 모두 우리의 고객들이 중재해 준 일이었고, 그들 뒤에는 우리 회사를 일궈 가시는 하나님의 일하심이 있었다.

회사는 이윤을 창출해야 한다. 그러기 위해서는 고객을 적극적으로 만나고 새로운 사업 모형을 구상하며 지사를 세워 지역과 네트워크해야 한다. 그런데 이 모든 과정에서 진정으로 풍성한 이윤을 만들어 내는 방법은 성경으로 가르치신 하나님의 명령을 지키며 그분을 의지하는 것이다. 그분이 인도하시는 길로 달려갈 때 혈육 같은 동업자와 우리를 믿어 주는 귀한 고객을 만나게 되고 그들을 통해 풍성한 이윤이 돌아오게 된다.

Lead by example

주인이 솔선수범하는 회사

≡ 잠언 31장 19절 ≡

In her hand she holds the distaff
and grasps the spindle with her fingers.

손으로 솜뭉치를 들고 손가락으로 가락을 잡으며

한마디로 그녀가 직접 했다는 뜻이다. 관리라는 뜻의 '매니지'(manage)는 100년 전 농업시대에서 산업시대로 넘어오면서 생긴 단어다. 모든 백성이 농사를 짓던 때는 온 가족이 들로 나가 일했다. 온 마을 사람들이 품앗이로 농사를 지었다. 일이 삶이고 삶이 일이었다.

그러나 산업혁명이 일어나자 급속도로 대량생산 시대가 열리면서 협동에서 분업으로 삶이 바뀌었다. 예를 들어 자동차 하나를 만들기 위해 어떤 사람은 너트(nut)만 만들고 어떤 사람은 그 너트를 조이고 해서 똑같은 차를 대량으로 생산하는 시대가

온 것이다. 농업시대에는 각자 필요한 것을 스스로 만들어 썼다면, 산업시대에는 공장에서 어느 한 부분에 일조하는 노동의 대가로 받은 돈으로 물건을 사서 쓰게 되었다. 이 과정에서 기업은 이윤을 창출하고 노동자는 일한 대가를 얻게 되었다.

나는 이 시스템 자체는 매우 성경적이라고 생각한다. 문제는, 회사의 중역과 오너들이 일을 하지 않는 시스템으로 변질된 것이다. 오늘날의 모든 기업 문제는 여기서 비롯된다.

잠언 31장에 보면 일의 주체는 늘 오너다. 물론 회사가 커지면 오너가 할 일이 그만큼 많아지기 때문에 일의 종류가 달라진다. 하지만 진정한 리더십은 늘 일하는 현장에서 나온다. 비록 같이 너트를 조이고 같이 기름때 묻은 옷을 입고 일할 수는 없다 하더라도 공장 노동자들과 함께하는 시간이 많으면 많을수록 리더십이 강해진다. 오너가 그렇게 하는 회사와 그렇게 하지 않는 회사의 생산량은 엄청난 차이가 난다.

19절에서도 그 사실을 지적하고 있다. 하인들이 있었음에도 불구하고 여주인이 직접 자기 손으로 물레를 잡고 돌렸다. 당시 물레는 완전히 수동식이었기 때문에 전기로 돌리는 게 아니라 손으로 돌려야 했다. 그야말로 순전히 육체적인 노동이다.

그런데 보통 관리자가 되면 높은 데 앉아서 일하라고 시키기만 한다. 그래서는 회사가 제대로 운영될 수 없다. 같이 땀 흘려 열심히 일할 때 회사는 원활하게 돌아가게 된다.

Seek the higher purpose

높은 목적을 가진 회사

≡ 잠언 31장 20절 ≡

She opens her arms to the poor
and extends her hands to the needy.

그는 곤고한 자에게 손을 펴며
궁핍한 자를 위하여 손을 내밀며

우리 회사의 창업 정신은 '우리는 어려운 이들을 돕기 위해 존재한다'(We exist to help those in need)이다. 이 정신은 바로 20절에서 따온 것이다. 이 말은 우리가 흔히 알고 있는 것과 크게 다를 바 없다. 즉 18절과 19절에서처럼 열심히 일해서 남은 수익을 여러 사람들에게 나눠 주라는 뜻이다. 돈이 목적이 아니라 그것으로 어려운 사람을 도우라는 것이다. 잠언 31장의 말씀 전체가 20절의 말씀과 일맥상통한다. 우리는 이 말씀을 기초로 '어려운 사람을 돕고 하나님을 전하기 위해 존재한다'는 사명을 만들었다. 사실 돌이켜 보면 우리 회사 역시 이웃을 도우라는 하나님

의 명령을 실천하는 사람들의 도움으로 어려운 시기를 건너올 수 있었다.

회사 창립 15주년이 되던 해, 우리는 고마운 고객들을 초청해서 감사패를 수여했다. 벌써 6년 전의 일이다. 템플대학, MBNA 등에 오랫동안 마음에 품어 온 감사를 전했다. 오늘의 우리가 있는 것은 우리가 잘해서가 아니라 심장수술을 해서 잘 걷지도 뛰지도 못하는 사람에게 큰일을 맡겨 준 고객들이 있었기 때문이다. 그들이 우리 회사에 일을 준 건 내가 실력이 있어서가 아니었다. 불쌍하고 안타까운 마음에 기회를 주고 싶어서 일을 맡긴 것이었다. 그들에게 우리는 어려운 이웃이었고, 그들의 긍휼로 큰 도움을 받을 수 있었다.

이제 우리가 거저 받은 사랑을 나눌 차례가 되었다. 20여 년간 오직 이 한 가지 목표를 향해 달리다 보니 어느새 이 정신은 나만의 것이 아니라 전 직원의 것이 되었다. 직원들은 우리가 가진 이 정신을 매우 자랑스럽게 여기고 있고, 열심히 일하면 어려운 이웃을 돕게 된다는 사실을 기쁘게 생각하고 있다.

우리는 새로운 직원을 뽑을 때 잠언 31장을 설명하고 우리 회사가 어떻게 다른지를 설명한다. 우리는 연봉 1만 달러를 더 받기 위해 직장을 옮기는 사람을 원하지 않는다. 지원자가 8만 달러의 연봉을 원하면 우리는 7만 2000달러를 제시한다. 이때 우리와 함께할 수 있는 사람과 그럴 수 없는 사람이 갈리게 된다. 그런데 대개는 그 조건에 동의한다. 그들에게 왜 연봉을 좀 더 많이 주는 곳으로 가지 않고 우리 회사를 선택하느냐고 물으면 그들은 이렇게 대답한다.

"이런 정신을 가진 회사에서 일하는데 연봉이 조금 적은 것은 문제가 되지 않습니다."

하지만 그런 조건을 제시했을 때 입사를 포기하는 사람들도 있다. 그런 사람은 돈을 더 주고 데려와도 얼마 안 가 회사를 떠날 것이다. 잠언 31장과 조금 적은 연봉으로 우리는 진짜 가족이 될 사람과 아닌 사람들을 구분해 낸다.

우리는 그렇게 입사한 사람들을 3개월 더 지켜본다. 그러고 나서 성실히 일한다 싶으면 다른 회사와 동등하게 혹은 그 이상으로 연봉을 인상해 준다. 물론 이 사실을 절대 그들에게 말하지 않는다. 만일 미리 "당신이 열심히 일하면 급여를 인상해 주겠다"고 말하면 그들은 돈 때문에 열심히 일하게 되기 때문이다. 그렇게 되면 우리 회사의 원동력은 돈에 의해 좌우되고 만다.

교회 사역자들도 마찬가지다. 남들보다 1만~2만 달러 적게 받아도 남겠다고 하는 사람은 정말 그 일이 좋고 감사해서 하는 사람이다. 바로 그런 사람을 찾아야 교회가 교회다워진다.

우리는 직원이든 사역자든 적임자를 찾기 위해 처음에는 동종 업계 다른 회사들보다 적은 연봉을 제시한다. 그랬다가 나중에 적임자라 판단되면 조건 없이 월급을 인상해 준다. 나는 가끔 이런 말을 한다.

"경영은 힘들 수도 있고, 아주 쉬울 수도 있습니다."

회사를 경영할 때 가장 쉬운 것은 돈으로 하는 것이다. "영업을 잘하면 보너스를 얼마 주겠다, 성과를 올리면 그중에 몇 퍼센트를 주겠다" 하면 많은 사람들이 열심히 일한다. 하지만 그렇게 돈으로 보상을 하다가 다음 프로젝트에서 보너스에 대한 이야기가 없으면 직원들은 일할 맛이 나지 않는다. 곧 매사에 심드렁해져서 의욕이 생기지 않는다. 그러면 결국 회사의 수익이 늘어나질 않는다.

엄밀히 말하면 이렇게 돈으로 하는 것은 경영이라고 할 수가 없다. 그건 누구나 할 수 있는 일이다. 돈이 아닌 그 사람의 의지와 열정으로 맡은 일에 헌신할 수 있도록 하는 것이 경영자의 능력이다. 그런데 사람을 그렇게 만들 수 있는 것은 돈도 아니고 감정도 아니다. 그것은 딱 하나 영적인 능력뿐이다.

내가 하고 싶은 것은 우리가 하는 일을 통해 어려운 사람을 도와주는 동시에 그 과정에서 직원들이 영혼이 깨어나고 하나님을 알게 되는 것이다. 그렇게 되면 직원들은 더 열심히 일하게 된다. 제조직이든 영업직이든 그가 원하지 않는 일도 책임감 있게 할 수 있도록 하는 것이 진짜 경영이다. 사람 관계는 누구도 예측할 수 없다. 그를 우리 회사에 오게끔 할 수는 있지만 내가 그에게 월급을 줄 능력이 없어지면 하루아침에도 남보다 못한 사이가 될 수 있다. 다행히 나는 우리 회사를 떠난 사람들과도 좋은 관계를 맺고 있고, 지금까지도 그들에게 좋은 사람들과 능력 있는 사람들을 연결시켜 주고 있다.

돕는 것도 지혜가 있어야 한다. 우리 회사는 필라델피아에서는 나름대로 성공한 회사이기 때문에 여러 곳에서 도움을 요청해 온다. 그런데 한인들은 도움을 청할 때 큰돈을 요구하지 않는다. 모두가 힘들게 이민생활을 하기 때문에 많아야 1000~2000달러 도와드리면 정말 고맙게 생각한다. 하지만 이렇게 단발적으로 돕는 것은 사실 큰 도움도 되지 못하거니와 체면치레가 되는 경우가 많다. 이윤을 목적으로 하는 회사도 그 정도는 다 하기 때문이다.

물론 돈으로 돕는 것도 귀한 일이다. 하지만 어려운 이웃과 함께하면서 그들의 필요를 채우는 것이 더 의미 있을 것이다. 그래서 우리는 직원들로 하여금 구호단체에 직접 들어가 구호활동을 하도록 한다.

그다음 단계로 구호단체에서 적어도 이사가 되라고 권한

다. 그러는 이유는 첫째, 구호단체가 제대로 운영되고 있는지를 살펴보고 잘되도록 조언하기 위해서다. 둘째는 필요한 자금을 모으는 모금 활동에 참여하기 위해서다. 이렇게 해야 봉사도 하고 후원도 하며 합리적인 경영이 잘되도록 해서 더 많은 사람들이 더 나은 도움을 받을 수 있다.

나는 현재 10여 개 구호단체의 이사다. 물론 명예나 자기만족을 위해 단 직함은 아니다. 20절 말씀대로 "곤고한 자에게 손을 펴며 궁핍한 자를 위하여 손을 내밀"기 위해서 그러는 것이다. 우리 직원들도 대부분 구호단체 한두 곳에서 활동하고 있다. 이웃을 돕는 것도 삶을 통해 훈련하고 배워야 한다. 우리는 직원들이 지역 행사나 다양한 이웃 돕기에 참여하도록 독려한다.

매년 참여하는 '아메리칸 하트 워크'(American Heart Walk)가 대표적인데, 이 행사에 참여하면 추수감사절 다음날에 휴가를 준다. 그러면 직원이 목요일 추수감사절부터 주일까지 휴식을 취하게 된다.

우리 회사는 해비타트(Habitat for Humanity) 행사에도 직원이 참여하도록 권장하며, 저소득층을 위한 주택 짓기에도 한몫을 한다. 또 필라델피아 설계자 협회에서 주최하는 캔스트럭처(Canstructure) 대회에도 참석한다. 캔 푸드(Can food)를 기부하거나 기부받아서 구조적으로 어려운 설계를 여러 명의 직원이 함께 디자인하고 쌓아서 전시하는 대회인데, 전시회를 마친 후 사용했던 수천 개의 캔 푸드를 자선단체에 기부한다. 또한 몇 명의 직원은 초·중등부 학생을 대상으로 '미래 도시 짓기'의 심사위원으로 봉사한다.

우리 직원들은 지난 2005년 뉴올리언스를 덮친 태풍으로 이재민이 많이 생겼을 때 몇 명이 가서 집을 지어 주고 오기도 했다.

이렇듯 직접 이웃과 더불어 살다 보면 남에 대한 배려가 몸에 배고 이웃에 대한 이해와 관찰력이 생긴다. 마음에 이런 토양이 형성되면 고객을 대하는 태도도 달라지고 디자인을 할 때도 머리가 아니라 가슴으로 하게 된다.

그런데 가끔 '신앙이 있는 사람들을 먼저 도와야 하는 게 아니냐'고 묻는 사람들이 있다. 하지만 우리는 가능하면 믿음이 없는 사람들을 더 우선으로 돕는다. 우리가 뻗는 도움의 손길은 사실 우리 뒤에 계신 하나님의 손길이며, 따라서 믿지 않는 사람들은 우리를 통해 하나님을 만나게 된다. 우리가 그들을 위해 기도하며 도움을 줄 때 성령 하나님은 그 영혼을 위해 일하신다.

우리는 도움을 줄 때 카드에 시편이나 다른 말씀을 써서 보낸다. 믿는 사람들은 그 말씀이 성경 구절인 줄 알지만 믿음이 없는 사람들은 그냥 그 말씀을 통해 하나님의 존재를 받아들이고 느낀다. 그렇게 하나님을 만나게 되는 것이다.

나는 상당히 오랜 기간 동안 미국심장협회(American Heart

Association)의 이사직을 맡아 일했다. 내가 심장수술을 받을 때 그들의 도움을 받은 것이 인연이 된 곳이다. 그런데 그들의 도움을 받아 심장이식수술을 받은 사람 중에 그 단체의 이사가 되어 활동하는 사람은 나밖에 없다. 그런 까닭에 나는 그들에게 특별히 귀한 사람으로 대접받는다. 더구나 그들의 도움을 받아 살아나서 회사를 성공적으로 일구고 어려운 이웃을 돕는 일을 하고 있으니, 그들로서는 나의 사례가 보람이 되고 용기가 되는 것 같다. 그래서 행사가 있으면 나를 불러 강연을 부탁하곤 한다. 행사에 가면 의사들이 수백 명, 많을 때는 1000명도 모이는데, 그날 하룻저녁에 우리 돈으로 10억 이상을 모금하게 한다. 그 돈으로 연구를 해서 어려움에 처한 또 다른 사람들을 돕는 것이다.

Prepare for uncertainty

항상 준비된 회사

≡ 잠언 31장 21절 ≡

When it snows, she has no fear for her household;
for all of them are clothed in scarlet.

자기 집 사람들은 다 홍색 옷을 입었으므로
눈이 와도 그는 자기 집 사람들을 위하여 염려하지
아니하며

잠언 31장은 갈수록 중요하고 중층적인 의미를 담고 있어서 이것을 그냥 좋은 말씀으로 읽고 넘기면 그 속에 담긴 놀라운 지혜를 발견할 수 없다. 21절이 그 대표적인 말씀이다. 홍색 옷을 입었기 때문에 눈이 와도 집 걱정을 않는다니, 과연 무슨 뜻일까?

영어로는 "When it snows"가 먼저 나온다. 그다음 구절이 "She has no fear for her household"다. Household란 가정의 안전, 회사로 생각하면 매니지먼트, 운영을 포함하는 개념이다. House와

Household는 다른 말이다. Household는 집이 아니라 가구나 집안의 것들, 집을 지키기 위한 경영, 보통 나갔다 들어가는 것 등을 다 포함하는 단어다.

그래서 처음 구절을 제대로 해석하면 '눈이 와도 자기 집안에 일어나는 모든 일에 대해서 걱정이 없다'가 된다. 이 문장 다음에 영어 성경은 세미콜론(;)을 두었는데, 이는 'two thoughts', 즉 앞의 문장과 뒤의 문장은 각각이라는 것을 의미한다. 먼저 앞 문장을 살펴보자.

나는 "When it snows, she has no fear for the household"란 회사의 경제, 경영, 회계, 금융 능력 등을 가리킨다고 생각한다. 그런 점에서 'When it snows'는 회사에 '어려움이 닥칠 때'로 해석할 수 있다. 갑작스런 불경기가 닥쳤거나 뜻밖의 사고가 생겼거나 해서 어려움을 당한 경우를 말한다. 그런데 그런 어려움을 당해도 회사 경영에 걱정이 없단다. 왜 그런가? 어려운 때를 위해 미리 저축해 둔 예비비가 있기 때문이다.

우리 회사는 직원들을 위하여 모아 놓은 예비비가 있다. 나와 중역들이 전적으로 동의해서 운영하고 있는데, 직원들이 혹시 어려운 일을 당했을 때 도움을 주기 위한 것이다.

나는 직원 채용을 할 때 반드시 묻는 질문이 있다.

"원래 하루 근무 시간은 8시간인데 평소에 10시간 일해서 돈을 모아 두었다가 어려운 일이 있을 때 도움을 받을 수 있는 회사와, 하루에 정확하게 8시간만 일하는 대신 회사나 개인이 어려울 때 아무런 도움을 줄 수 없거나 심지어 해고를 할지도 모르는 회사 중에 당신은 어느 회사에서 일하고 싶은가?"

거의 예외 없이 모든 사람이 '일을 좀 더 하더라도 안정된 회사'에서 일하고 싶다고 대답한다. 그러면 나는 우리 회사가 시행하고 있는 직원들 명목의 예비비 제도를 자세하게 설명해 준다. 실제로 5년가량 이 제도를 운영했더니 지금은 자리를 잡아서 우리 회사는 밖으로는 이웃을 돌보고 안으로는 직원들을 가족처럼 섬기는 아름다운 공동체가 되었다.

어떤 신입 직원이 우리 회사와 다른 회사의 입사시험에서 동시에 합격을 했다. 그런데 그는 우리 회사보다 더 많은 보수를 주겠다는 다른 회사를 마다하고 우리 회사로 왔다. 그 이유를 물으니 그는 "돈도 중요하지만 직원을 해고하지 않는 이 회사에 다니고 싶다"고 대답했다.

지금 우리 회사는 젊은이들 사이에서 '한번 뽑은 직원은 끝까지 책임지는 회사'로 알려져 있다. 그런 신뢰를 받게 된 데에는 결정적인 계기가 있었다.

2000년에 들어서면서 미국 경제는 악화일로를 걸었다. 그러다 2008년 월스트리트에서 시작된 금융위기는 미국 경제를 한순간에 침몰시켰다. 당시 미국 경제가 얼마나 심각했는지, 웬만한 회사들이 직원의 40~70퍼센트를 해고했고, 문닫는 회사도 무척 많았다. 그에 따라 한때 도시의 기능이 마비될 지경이었다. 경제학자들은 통계적으로 2년이면 회복될 거라고 했지만 안타깝게도 그 여파는 5년이나 지속되었다. 수많은 회사들이 직원의 절반 이상을 해고하면서 회사를 겨우겨우 유지하고 있었다. 그러나 우리 회사는 업무 능력이 현저하게 떨어지는 3명의 직원을 해고했을 뿐 불경기가 계속된 5년 동안 단 한 명도 정리해고를 하지 않았다. 크리스천 기업가이자 목회자인 내가 가뜩이나 경제가 어려운 상황에서 더 많은 사람들을 고용하지는 못할망정 있는 직원을 거리로 내쳐선 안 된다고 생각했기 때문이다.

나의 수익을 포기해서라도 그들을 지켜 준다면 그들도 그 마음을 알아주고 더 열심히 일할 것이라 믿었다. 한편으로, 그들 중에는 언젠가 우리 회사를 떠나 동종의 회사를 차리고 우리와 경쟁할 텐데, 만일 정리해고를 한다면, 훗날 그들이 우리와 경쟁사가 되었을 때 결코 좋은 영향을 미치지는 못할 것이다. 장래의 일을 생각해서라도 그래선 안 되었다.

하지만 아무리 뜻이 좋아도 실행에 옮기지 못하면 소리만 요란한 꽹과리나 다름없다. 이런 생각이 있다 해도 이것을 행동으로 옮기기 위해선 방법을 찾고 실천에 옮겨야 한다. 직원들

명목의 예비비는 그래서 더 필요하다.

하지만 현실은 녹록하지 않다. 큰 회사의 경우, 회사의 주인은 투자자들이다. 나 역시 우리 회사 주식을 어느 정도 갖고 있기 때문에 매년 배당을 받는다. 그런데 만일 회사가 적자가 나는데도 직원을 해고하지 않으면 수익이 그만큼 줄어드니까 투자자들이 빠져나간다. 경영주로선 투자자들을 잡기 위해선 직원을 해고할 수밖에 없는 것이다.

우리 역시 주식회사이기 때문에 내가 오너라고 해서 마음대로 할 수 있는 게 아니다. 비즈니스를 시작했으면 수익을 내는 게 의무이고 그것이 투자자들에게 우리가 해 줘야 할 책임이다. 직원을 해고하고 싶지 않아도 내 마음대로 할 수 없을 때가 있는 것이다. 그럼에도 불구하고 우리가 그런 결정을 할 수 있었던 것은 직원 한 사람 한 사람을 위한 예비비가 있었기 때문이다.

하지만 무려 5년이나 이어진 심각한 경기 침체를 버티고 나니 그 예비비마저 바닥이 나고 말았다. 더 이상은 무리였다. 그래서 하루는 직원들을 모아 놓고 이렇게 이야기했다.

"여러분 몫의 예비비는 이미 다 썼고 세 사람의 중역을 위한 예비비도 여러분을 위해 다 썼습니다. 이제 더 이상 회사를 유지할 돈이 없습니다. 빠른 시기 안에 새 프로젝트가 들어오지 않으면 이젠 해고할 수밖에 없습니다. 이해해 주십시오."

물론 직원들도 모든 상황을 이해했다. 내가 그동안 어떤 희생을 치렀는지 잘 알기 때문이다. 이제 해고를 결행한다 해도 누구 하나 불평하지 않겠지만, 그럼에도 그들은 우리 회사에 계속 남아서 일할 수 있기를 간절히 원했다. 나도 그들의 마음을 알기에 믿음으로 이렇게 부탁했다.

"이제 할 수 있는 것은 한 가지뿐입니다. 이제 신앙이 있든 없든 기도를 해야 할 때입니다. 여러분은 우리가 함께 일할 수 있도록 일거리를 달라고 기도해 주십시오. 나는 다른 기도를 하겠습니다. 이 불경기가 끝나면 우리가 이 상황을 하나님의 힘으로 이겨 냈다고 고백할 테니 나에게 간증거리를 달라고 기도하겠습니다."

그때부터 우리는 모두 간절한 마음으로 기도하기 시작했다. 그때가 2009년 4월경이었는데 상황이 호전되지 않는 한 나는 7월부터 직원들을 해고해야 했다. 그런데 그로부터 딱 한 달 뒤, 마이애미에서 큰 설계 의뢰가 들어왔다. 마이애미의 마린스 야구 경기장(Marlins Baseball Stadium)으로부터 6000대 규모의 주차 빌딩 설계 의뢰를 비롯해 4개의 대규모 설계 의뢰를 받은 것이다. 15명의 직원이 1년 반이나 일을 해야 할 정도로 큰 프로젝트였기 때문에 그 프로젝트 하나로 우리는 1년 반을 버틸 수 있었다.

만일 우리에게 그 힘든 시간을 버틸 예비비가 없었다면 직원의 상당수가 회사를 나가야 했을 것이고 그랬다면 마이애미에서 엄청난 규모의 설계 의뢰가 들어왔다 해도 그 일을 감당해낼 능력이 없어서 하나님이 주신 기회를 놓쳤을 것이다. 말씀을 통해 주신 지혜를 따라 위기상황을 대비한 예비비를 준비해 놓았기에, 우리는 그 힘든 시기를 다 함께 넘기고 기회가 왔을 때 남들과 차별화된 팀워크와 능력으로 그 일을 잘 감당할 수 있었던 것이다.

Dress well

단정한 차림의 회사

≡ 잠언 31장 22절 ≡

She makes coverings for her bed;
she is clothed in fine linen and purple.

그는 자기를 위하여 아름다운 이불을 지으며
세마포와 자색 옷을 입으며

이것도 한국말로 보면 단순히 현숙한 여인이 얼마나 살뜰하게 가정을 꾸미는가를 묘사한 말씀처럼 보인다. 그런데 세마포는 굉장히 고운 고급 모시다. 게다가 자기를 위해서 그런 값비싼 고급 모시를 만든다는 뜻이니 얼핏 보면 성경적이지 않은 것처럼 보이기도 한다. 혼란스럽다.

그런데 영어로 보면 22절 역시 두 개의 문장이 세미콜론으로 연결되어 있기 때문에 두 가지 사실을 말하고 있다고 볼 수 있다. 첫 문장은 비교적 간단하다. 영어 성경은 한글 성경이 '이불'로 해석한 단어를 침대(bed)로 해석하고 있다. 그런데 이 단어는 종종 '돕다, 지원하다'는 뜻으로도 쓰인다. 가령 'works the bedding'은 '뒷받침해 준다'는 뜻이다. 이 'bed'와 함께 쓰인 동사가 바로 covering인데 이 단어는 자신이 직접 어떤 일을 처리할 때 쓰는 단어다. 그래서 한글 성경에서 '자기를 위하여 이불을 지으며'로 표현한 것이다. 자기가 직접 한다는 뜻이다. 그러니까 bed와 covering이라는 두 단어를 통해 나는 이 말씀을 이렇게 해석한다. 일단 침대를 기준으로 생각하면 'bed cover'란 자기 침대를 자기 손으로 직접 정리한다는 뜻이다.

이 말씀을 회사에 적용해 보면 아무리 직급이 높아도, 심지어 오너라 할지라도, 개인적인 일은 직원에게 시키지 말고 자기가 직접 하라는 뜻이다. 자기가 마실 커피는 직접 타서 마시고, 자기가 사용한 컵은 자기가 직접 씻으라는 뜻이다.

이것은 두 가지 의미에서 오너나 관리자에게 매우 중요한데, 첫째는 공과 사를 구분하라는 것이고, 둘째는 개인사를 부하직원에게 너무 의존함으로써 생길 수 있는 여러 가지 문제를 미연에 방지하라는 것이다. 이를 테면 직원이 상사에게 불만을 갖게 될 수 있고, 반대로 직원과 상사 간에 최소한의 질서가 무너짐으로써 일을 공정하고 정확하게 처리하기 힘들 수 있다.

"침대 정리했니?"(Did you make up your bed?)는 침대 커버를 깨끗하게 정리했는가를 묻는 표현인 동시에 '너의 침실을 정리하라'(Clean up your own mess)는 표현이기도 하다. 이 말씀을 회사에 적용하면, 직위가 높든 낮든 내 책상은 내가 직접 정리해야 한다. 퇴근할 때는 다른 사람을 위해서 책상에 어질러진 것들을 치우고 가야 한다. 성경에서는 주인이 직접 정리를 한다는 뜻이 강하다.

그런데 대부분의 회사 경영자나 관리자들은 이런 면이 많이 약하다. 그래서 다른 회사에 다니다가 우리 회사에 온 직원들은 내가 직원들이 쓴 컵을 모아 씻는 것을 보고 몹시 당황스러워한다. 하지만 우리 회사에서는 누가 쓰던 컵이건 내 눈에 띄었고 또 시간이 있으면 기꺼이 씻어 주는 게 당연하다. 누군가는 바쁘게 일하고 누군가는 소리 없이 그들을 도움으로써 회사의 모든 일이 순조롭게 돌아가도록 최선을 다하는 것이다. 이런 작은 일들이 서로 간에 신뢰와 사기를 높여 주고 일의 능률을 올려 준다. 그런데 이 모든 것은 오너, 즉 관리자가 자기 일을 스스로 하는 모습에서 시작된다는 사실을 잊어서는 안 된다.

두 번째 문장을 보자. 그녀가 세마포와 자색 옷을 입는다고 한다. 옛날에 자색 옷은 신분이 높은 사람들만 입을 수 있었다. 그런 옷을 입는다는 것이다. 이것을 비즈니스에 적용해 보면 이렇다. 요즘은 대표들도 티셔츠에 반바지 차림으로 출근하는 회사가 많다. 자유롭고 편안한 분위기가 창의적으로 일하게 만든다고 생각하는 것 같다. 그럴 수도 있다. 그렇다면 주로 건축 설계를 하는 우리 회사는 어떨까? 대부분의 건축 설계 회사들은 캐주얼 차림을 한다. 밤새워 설계할 때도 있고 현장을 다녀야 하기 때문에 정장보다는 캐주얼이 더 편하기 때문이다. 하지만 나는 말씀을 묵상하고 나서 정장을 입기로 했다. 우리 회사 사람들은 모두 넥타이를 단정하게 맨 정장을 입는다.

우리 회사는 동종 업계에서 정장 차림을 하는 유일한 회사일 것이다. 꼭 그렇게까지 해야 하느냐는 말이 없었던 것도 아니다. 또 정장 차림이 구식이라고 여기는 데도 일리가 있다고 생각한다. 하지만 나에게 구식이냐 신식이냐 하는 기준은 중요하지 않다. 그것이 성경적인가 아닌가가 중요할 뿐이다.

성경 시대에 세마포 옷은 중요한 자리에 갈 때 입는 옷이고 자색 옷은 신분이 높은 사람들이 입는 격식 있는 옷이다. 하지만 당시 사람들은 대부분이 노동자들이었다. 주인조차 직접 포도원을 가꾸고 물레를 돌리며 일했다. 그럼에도 불구하고 성경은 격식 있게 옷을 갖춰 입을 것을 말하고 있다.

이유를 정확하게 알지는 못하지만 우리가 정장을 입기로 한 것은 단지 성경 말씀에 가장 가깝다고 생각했기 때문이고 그것을 지키려고 원칙을 정한 것이다. 그런데 정장을 입는 회사라서 그런지는 모르겠으나 우리의 고객들도 정장 차림을 하는 정부기관 혹은 단체들이 많다. 옷차림이 비슷한 사람들을 고객으로 두고 있는 것이다.

다만 우리 회사는 금요일에는 정장을 벗고 자유롭게 입는다. 그리고 여름인 6~9월에는 넥타이를 매지 않는 가벼운 정장을 입는다.

Help the client get promoted

고객의 성공을 돕는 회사

≡ 잠언 31장 23절 ≡

Her husband is respected at the city gate,
where he takes his seat among the elders of the land.

그의 남편은 그 땅의 장로들과 함께 성문에 앉으며
사람들의 인정을 받으며

'성문'이란 높은 곳에 있어서 사람들이 우러러봐야 하는 곳이다. 따라서 성문에 앉았다면 사람들의 존경과 신뢰를 받는 자리에 앉아 있다는 의미다. 그런데 혼자 앉아 있는 게 아니라 그 지역에서 존경받는 장로들과 함께 앉아 있다.

비즈니스에 적용하면 '남편'(her husband)은 고객이다. 우리는 비즈니스를 통해서 우리의 고객이 사람들에게 인정받고 리더가 될 수 있도록 해야 한다는 의미다.

사업 초기에 미국 5대 제약회사인 머크(Merck&Co., Inc)에서 뉴저지에 공사할 것이 있다면서 사전 미팅을 하자는 연락이 왔다. 이 회사와는 소규모 설계 자문을 해 주면서 인연을 맺게 되었다. 하지만 그 공사는 결과적으로 우리 회사에 오지 않았다. 전에 내가 다니던 회사에서 수주했다. 직원 200명을 거느린 회사와 고작 두세 명의 직원을 둔 우리 회사가 경쟁했으니 어찌 보면 당연한 결과였다.

하지만 나는 수주에서 실패했다는 통보를 받고 나서 잠언 31장을 다시 폈다. 이대로 결과를 수용하고 끝낼 것인가, 아니면 다른 무언가를 해야 하는가, 그 답을 얻기 위해서였다.

'과연 잠언 31장에 나오는 현숙한 여인은 이럴 때 어떤 결정을 했던가. 이웃을 사랑하기 위해서 시작한 이 회사의 경영자인 나는 무슨 일을 해야 하는가.'

그러다 문득 내가 아닌 다른 회사를 거래처로 선택한 그 회사가 바로 '내가 사랑해야 할 이웃'이라는 생각이 들었다. 그래서 나는 머크사 책임자에게 편지를 썼다. 이메일이 아니라 종이에 써서 보냈다.

빌 국장님께

저에게 공사 면접을 볼 수 있게 해 주셔서 감사합니다.

당신 회사가 선택한 그 회사는 내가 전에 근무한 곳이라 잘

압니다. 아마도 당신이 기대한 만큼 이번 공사를 잘해 낼 것입니다. 그렇게 큰 회사와 함께 면접 기회를 주신 것에 감사드립니다.

편지를 보냈으니 내심 어떤 답이 오지 않을까 기대했지만 아무런 반응이 없었다. 그 후 1년쯤 지나서 빌 국장에게서 연락이 왔다. 다른 공사가 있는데 사전 미팅 없이 그냥 설계를 맡기겠다는 것이었다. 그러면서 그는 1년 전에도 우리 회사에 일을 맡기고 싶었다고 했다. 비록 회사는 작아도 잘해 낼 것이라 믿었는데, 제약회사 랭킹 5위 안에 드는 큰 회사가 너무 작은 회사에 공사를 맡기는 것이 걸려서 그러지 못했다고 설명했다. 그런데 나의 감사 편지를 받고는 자신의 선택이 잘못됐다는 것을 알게 됐다고도 했다.

나중에 알고 보니 지난 1년 동안 내가 근무하던 그 회사와 공사를 하면서 속을 많이 썩은 모양이었다. 매일 전화해서 할 일을 제대로 했는지를 확인해야 할 만큼 만족스럽게 일 처리를 하지 못한 모양이었다. 그래서 새로운 공사거리가 생기자 이번에는 여러 회사들 간에 경쟁도 시키지 않고 우리 회사에게 그냥 일을 맡기겠다고 했다.

그렇게 그곳과 일하게 되었고, 이후 차량 수천 대 규모의 주차 빌딩 공사도 수주받아 일하게 되었다. 주차 규모 2000대 이

상이면 큰 공사다. 그럼에도 불구하고 순조롭게 공사가 잘 끝나자 머크사 공사 담당자가 찾아와 설계에 참여한 모든 직원에게 저녁을 사겠다고 했다. 보통은 오히려 우리가 일거리를 준 클라이언트에게 저녁을 대접하는 게 상식인데 말이다. 식사 자리에서 나는 와인으로 축배를 들면서 공사를 맡겨 준 그에게 고맙다는 인사를 하려고 했다. 그러자 그는 나를 말리면서 고맙다는 인사는 자신이 해야 한다면서 자초지종을 설명했다.

어느 날 그 회사 회장이 그를 부르더니 "공사를 하는 내내 여유가 있고 공사 일정이나 예산을 잘 맞추더라"고 칭찬하면서 다른 공사를 맡겨도 지금처럼 잘할 수 있겠느냐고 물어봤다는 것이다. 그가 "당연하죠" 했더니 회장은 다시 "우리 회사에 공사 책임자가 여러 명 있는데 그들에게도 그렇게 하도록 가르칠 수 있느냐"고 물었고 이때도 그는 "할 수 있다"고 대답했다. 그러자 놀랍게도 회장이 그를 모든 공사를 책임지는 자리로 승진시켜 줬다는 것이다. 그는 우리가 일을 잘해 줘서 이렇게 승진까지 했다면서 감사는 오히려 자신이 해야 한다고 말했다.

그는 이 일을 통해 어떤 건축가와 일을 하느냐에 따라 자신의 미래가 달라진다는 것을 알게 되었고, 이후 그가 맡은 모든 공사는 우리에게 맡겼다. 공사 비용도 내가 제시한 금액에서 단 한 푼도 깎지 않았다. 덕분에 우리 회사도 돈을 벌 수 있었다.

우리가 고객을 위해 일을 잘하면 그 덕분에 우리의 고객이 승진을 하거나 보너스를 받게 된다. 더 나아가 우리가 하는 일을 통해 고객이 더욱 성장할 수 있도록 도울 수 있다. 이 원리를 알게 되면 고객을 보는 눈과 대하는 태도가 달라진다.

그런데 때로 그렇게 해 주고 싶지 않은 고객이 있다. 비용은 어떻게든 깎으려 들면서 요구사항은 날이 갈수록 늘어나는 고객이다. 어찌나 귀찮게 하는지 얼른 일을 끝내고 다시는 그를 보고 싶지 않을 정도다. 그런데 이상하게도 그런 고객일수록 우리를 다시 찾는다. 그리고 우리의 요구를 순순히 들어준다. 그렇게 단골 고객이 되는 것이다.

비록 그가 우리를 귀찮게 하고 힘들게 해도 그가 성장할 수 있도록 도와주면 반드시 우리를 찾게 되어 있다. 더 놀라운 것은 우리의 성실하고 일관성 있는 태도가 그의 안하무인적인 태도를 바꾼다는 것이다. 우리가 그를 존중해 주는 만큼 그도 우리를 존중하고 신뢰하게 된다.

Go the extra mile

엑스트라 마일을 실천하는 회사

≡ 잠언 31장 24절 ≡

She makes linen garments and sells them,
and supplies the merchants with sashes.

그는 베로 옷을 지어 팔며
띠를 만들어 상인들에게 맡기며

영어 성경은 '베'를 모시(linen)로 해석한다. 값나가는 옷들이다. 즉 귀한 옷을 만들어서 파는데 상인들에게는 띠를 달아서 넘긴다는 것이다. 여기서 띠는 장식을 한다는 뜻인데 그냥 상품만 넘기는 것이 아니라 예쁘게 포장해서 넘긴다는 뜻이라고 볼 수 있다. 우리 회사에서는 이 말씀을 엑스트라 마일(extra mile)과 같다고 본다.

우리 회사에는 매일 실천해야 하는 세 가지(Core Value)가 있다.

첫째가 엑스트라 마일(extra mile)이다. 이것은 한 걸음 더 나아간다는 뜻이다. 다른 표현으로는 '비욘드 도어'(beyond door) 즉

문 밖까지 배웅하는 것을 말한다. 한국 사람들은 이것을 매우 잘하는데 미국 사람들은 손님이 문을 나서면 바로 문을 닫아 버린다. 엑스트라 마일은 배웅하기 위해 문 밖으로 나가는 것, 다시 말해 고객을 위해 한 걸음 더 나가자는 의미다.

엑스트라 마일은 "또 누구든지 너로 억지로 오 리를 가게 하거든 그 사람과 십 리를 동행하고"(마 5:41)라는 말씀에 근거한 것이다. 나는 이 말씀을 가지고 '남편과 아내에게, 상사와 부하 직원에게 신뢰를 얻으라'는 설교를 한 적도 있다.

그럼 일하는 현장에서 엑스트라 마일을 어떻게 실천할 것인가. 예를 들어 계약을 할 때 우리는 현장에 10번 나가기로 했으면 10번 다 성실하게 해 준다. 그러다 고객이 한두 번 더 현장에 나가 달라고 요구하면 추가 비용을 요구하지 않고 두말없이 그대로 한다.

많은 회사들이 10번 나가겠다고 했으면서 이를 잘 지키지 않는다. 또 추가로 나가 달라면 추가 비용을 요구한다. 고객은 계약에 따라 하는 수 없이 따르긴 하지만 이미 마음이 상한 뒤다. 그러면 다음 계약은 보장하기 어렵다.

우리 회사와 일을 해 본 고객은 반드시 다음에도 우리를 찾는다. 일이 끝난 뒤에도 고객이 원하면 언제든지 엑스트라 마일을 실천하기 때문이다.

모시로 만든 고급 제품을 띠까지 둘러 보낸다는 것도 엑스트라 마일이다. 장사할 때는 이렇게 덤이 필요하다.

나는 고객에게 엑스트라 마일을 주기 위해 늘 아이디어를 짜낸다. 가장 전통적인 방법 중 하나는 보험 적용에 관한 것이다. 공사가 끝나고 나면 1년간 보험으로 무상 보수공사를 해 주는데, 그 기간이 끝나기 전에, 대략 11개월째에 고객을 방문한다. 공사 후에 건물에 이상은 없는지 보수할 곳은 없는지 묻는 것이다. 고객이 바빠서 못하는 경우도 많기 때문에 보험이 적용되는 기간에 보수공사를 활용하도록 권한다.

또 다른 회사들이 기본적인 디자인을 해 줄 때 우리는 그 공간이 살아날 수 있도록 모든 아이디어를 담아서 디자인해 준다. 경쟁사가 있거나 없거나 고객이 우리를 알아주거나 그렇지 않거나 상관없이 항상 한결같은 마음으로 대한다.

하지만 미국 사회에서 이 엑스트라 마일의 개념은 이해받기 어려울뿐더러 실천하기는 더 어렵다. 그래서 나는 직원을 채용할 때 이 엑스트라 마일에 관한 질문을 한다. 예를 들면 이런 식이다.

"당신은 회사 일을 할 때 엑스트라 마일을 실천한다는 것이 어떤 것이라고 생각합니까?"

그러면 미국인들은 대개 이렇게 대답한다.

"맡은 일을 끝내기 위해서는 늦게까지 일할 수 있습니다. 그게 엑스트라 마일이라고 생각합니다."

하지만 만일 고객에게 일을 부탁받은 프로젝트의 마감일이 내일이라면 그 일을 끝내기 위해 밤을 새우는 일을 엑스트라 마일이라 할 수 없다. 당연히 해야 할 일을 하는 것일 뿐이다.

그렇다면 이 경우 엑스트라 마일은 무엇인가? 그것은 고객이 기대하지 않던 일을 해 주는 것이다. 손해를 보면서까지 해주라는 게 아니다. 성경 구절에 나오는 띠와 같은 것이다.

예를 들어 애인이 "커피가 마시고 싶은데 커피 한 잔 사다 줄래?" 했을 때 어떤 사람은 정말 커피만 사다 준다. 그런데 어떤 사람은 커피와 같이 먹을 수 있는 쿠키도 사다 준다. 엑스트라 마일은 바로 쿠키다. 고객은 커피뿐 아니라 쿠키까지 곁들이는 엑스트라 마일을 반복해서 받으면 어느덧 마음이 열려서 그를 신뢰하게 된다. 애인의 마음을 얻기 위해 애쓰는 연인의 마음으로 고객을 대하는 것이 중요한 것이다.

우리 회사 직원이라면 어떤 고객에게든 최선의 엑스트라 마일을 실천한다. 구두쇠 고객에게도 예외는 아니다. 예를 들어 어떤 고객이 자기 회사의 중간 관리자인데 자기 보스에게 보고할 내용 때문에 고민이 있다는 이야기를 한다. 그런데 그 고객이 있는 곳까지는 약 3시간 거리에 있다. 이때 할 수 있는 가장 좋은 엑스트라 마일은 무엇일까?

"제가 곧 그리로 가겠습니다."

이것이 바로 성경에 나오는 띠다. 그렇게 해서 고객과 특별한 관계를 만드는 것이다. 계약서에 쓰인 일만 해서는 절대 이런 관계를 만들 수 없다.

우리 회사에서 매일 실천해야 할 두 번째는 보고를 잘하는 것이다. 고객이 필요로 하는 때에 그가 알아야 할 정보를 알려 주는 것이다. 한국 사회와 달리 미국에서는 부부 사이에도 서로 보고를 잘한다. 안 하면 큰일 난다. 만일 남편의 귀가 시간이 저녁 6~7시인데 1시간 정도 늦어질 상황이면 반드시 아내에게 이 사실을 알려야 한다.

우리 직원들은 고객과 이런 '보고 관계'를 잘 유지한다. 예를 들어 어떤 고객이 다음 주 월요일에 중간 보고 자료를 달라고 요구했다고 하자. 그러면 우리는 반드시 고객에게 '왜 월요일에 필요한지'를 묻는다. 고객은 이 경우 대개 '월요일에 보스에게 이 프로젝트에 대해 보고해야 하기 때문'이라고 대답한다. 다시 말해 그 보고는 고객에게 무척이나 중요한 일인 것이다. 이때 우리는 고객이 요구한 시간보다 2~3일 전에 보고 자료를 보내 준다.

보통 사람들은 월요일까지라면 그날을 마감일로 여긴다. 하지만 일이 잘못되어 그날을 못 지킬 경우가 생길 수 있다. 고객으로서는 대단히 곤란한 일이 벌어진 것이다. 그래서 우리는 고객이 충분한 시간을 갖고 자료를 검토해 볼 수 있도록 마감일을 요구한 날보다 2~3일 앞당겨 잡는다. 그러면 만일의 경우가 발생해도 곤란한 일은 일어나지 않게 된다.

보고를 잘하면 고객의 마음이 굉장히 편하다. 종종 능력은 뛰어난데 고객에게 보고하는 것을 게을리 해서 좋은 평가를 받지 못하는 사람들이 있다. 그런 사람은 고생해서 일을 마쳐도 좋은 소리를 듣지 못한다.

나는 직원들에게 마치 고객과 연애하듯이 적절한 시기에 필요한 정보를 고객에게 제공하라고 말한다. 하지만 그게 말처럼 쉽지 않은 모양이다. 연애를 해 봤으면 알 것 아니냐고 해도 직원들은 고객하고는 도저히 연애하듯이 안 된다고 토로한다.

많은 사람들이 내게 어떻게 그렇게 많은 사람들과 친밀한 관계를 유지하느냐고 묻는다. 보통 건축 설계 회사에 다니면 1년에 크고 작은 프로젝트를 대략 5건은 하게 된다. 그렇게 10년을 일했다면 적어도 50명의 고객을 만나게 된다. 그런데 그들의 집안 결혼식에 간 적이 있는가? 바비큐 파티에 초대받아 그들 집에 가본 적이 있는가?

나는 그런 곳에 자주 가는 편이다. 회사의 오너라서 기회가 많을 거라 생각하지만 나는 예전에 직장인이었을 때도 그런 자리에 자주 불려 다녔다. 그러면 사람들은 어떻게 그런 관계를 맺게 되었느냐고 묻는다. 내가 해 줄 수 있는 대답은 한 가지다. 그들을 연인처럼 배려하라는 것이다. 우리 회사 식으로 말하면 엑스트라 마일과 보고다.

예를 들어 내가 다음 주에 휴가를 갈 계획이면 고객에게 전화해서 필요한 일이 있으면 미리 처리해 주겠다고 말한다. 그러면 고객들이 얼마나 좋아하는지 모른다. 내가 휴가를 가기 위해서 하는 일이고 당연히 해야 하는 일을 하는 것인데도 고객은 특별한 배려를 받는다고 생각해서 매우 고마워한다.

연애할 때 어디 멀리 가면 연인에게 미리 그 사실을 말하고 가듯이 고객에게도 그렇게 해 주면 된다. 그러면 고객과 나는 돈과 비즈니스를 넘어선 관계로 발전하게 된다.

우리 회사에서 매일 실천해야 할 세 번째는 반드시 그날 안으로 리턴콜(return call)을 하는 것이다. 대개 미국 사회는 고객으로부터 문의 전화가 오거나 항의 전화가 오면 2~3일 후에 처리해 준다. 하지만 우리 회사는 오늘 고객에게 전화가 왔으면 반드시 오늘 중에 리턴콜을 한다. 이 역시 고객의 신뢰를 얻고 그를 최선을 다해 섬기는 태도다.

나 역시 리턴콜을 최선을 다해 실천하고 있다. 하루 평균 300개 정도의 이메일이 오는데 나는 가급적 답장을 다 해 준다.

메일을 확인하면 일단 "알겠습니다", "메일 잘 받았습니다. 곧 검토하고 답을 드리겠습니다" 등의 간단한 답장을 보낸다. 그런 다음 후속 조치를 신속하게 한 다음 그 결과를 가능한 빨리, 간결하게 전화나 메일로 알린다.

그리고 고객이 우리 회사 책임자들에게 메일을 보내면 그것을 나에게 보내도록 한다. 가끔은 책임자들도 실수할 때가 있기 때문에 민감한 문제일수록 함께 내용을 알고 정확하게 처리하기 위해서다. 그러면 고객은 '저 회사는 회장이 모든 프로젝트를 파악하고 있구나' 하는 신뢰를 갖게 된다.

앰트랙(Amtrak, 미국철도여객공사)에서 1500대 규모의 주차장 프로젝트를 맡았을 때 그 공사의 책임자인 빌 맥도웰(Bill Mcdowell)은 우리 회사와 일하는 것을 무척 흡족해했다. 그 이유 중 하나가 회장인 내가 프로젝트에 긴밀히 관여한다는 점이었다. 대개 회사 대표는 계약을 성사시킬 때 외에는 얼굴을 보기 힘들다. 하지만 나는 프로젝트가 시작되는 시점부터 끝나는 순간까지 고객과 긴밀하게 연락하고 문제가 생기면 직접 나서서 해결하는 등 프로젝트에 열중하는 모습을 보여 준다.

엑스트라 마일은 어쩌다 기분 나면 베푸는 선심이 아니다. 주인이 부르면 종이 달려가듯 주님을 섬기는 마음으로 언제든지 고객을 섬기는 것이다. 마치 누가복음에 나오는 '무익한 종'처럼 고객을 위해 모든 것을 헌신하는 자세, 그것이 바로 진정한 엑스트라 마일이며 그 엑스트라 마일만이 고객을 감동하게 하고 다시 찾아오는 고객이 되게 하며 평생 신의를 저버리지 않는 가족으로 남게 만든다.

Be distinguished

품격과 인품을 갖춘 회사

≡ 잠언 31장 25절 ≡

She is clothed with strength and dignity;
she can laugh at the days to come.

능력과 존귀로 옷을 삼고 후일을 웃으며

참 멋진 표현이 아닐 수 없다. 능력과 존귀가 옷이 된다니 얼마나 멋진 일인가. 그래서 그녀는 다가오는 날들을 웃음으로 맞을 수 있다. 항상 여유 있는 태도와 품위를 지키는 삶을 말한다.

우리 회사가 지켜 가고자 하는 미션 중에는 '두드러져 눈에 띄는 사람이 되자'가 있다. 이때 쓰는 단어가 'distinguish'인데 그 의미를 한마디로 설명하기가 쉽지 않다. 예를 들어 누군가가 'distinguish' 하다고 했을 때, 그 의미는 처음 보는 순간 '아!' 하고 감탄할 수 있는 사람이란 뜻이다. 무엇 때문에 감탄하는지 구체적으로 말할 수는 없지만 다른 사람들과는 뭔가 다른 특별한 느낌을 주는 사람이다. 바로 그런 사람이 되는 데 필요한 것이 'strength and dignity'다. 능력이 있되 오만하거나 차갑지 않고 기품과 고귀함이 있는 사람이다. 사람들은 그런 사람을 보면 한눈에 알아보고 호감을 느끼게 된다.

이 능력과 기품을 카리스마와 비교해 보면 포스도 있어야 하고 설득력 있는 말과 리더십도 있어야겠지만, 무엇보다 어려움을 당한 상황에서도 여유를 잃지 않고 일관성 있게 행동하는 것을 말한다.

우리는 종종 이런 사람들을 만난다. '남들과는 다른 그만의 두드러진' 특징과 성품이 그의 눈빛과 걸음걸이, 포즈에서 느껴진다. 그는 겸손하지만 사실은 상당한 실력자일 수 있다. 그는 늘 옷차림이 단정하고 눈빛이 진지하다. 호감을 느끼지 않을 수 없는 사람이다.

나는 우리 회사 직원들 한 사람 한 사람이 그런 사람이 되어야 한다고 요구한다.

Be eloquent

인애로 격려하고 조언하는 회사

≡ 잠언 31장 26절 ≡

She speaks with wisdom,
and faithful instruction is on her tongue.

입을 열어 지혜를 베풀며
그의 혀로 인애의 법을 말하며

'인애'는 흔한 표현이 아니다. 성경은 지혜와 인애를 분명히 구분해서 말하고 있는데 지혜를 선포하되 혀로는 항상 인애의 법을 말한다. 그렇다면 어떻게 지혜와 인애를 말할 수 있을까.

회사의 업무는 끊임없는 대화와 소통을 통해서 이루어진다. 그런데 대화의 형태에 따라 일이 순조롭게 진행되는가 하면 잘될 일도 덜커덕거리고 마음이 상할 때가 있다. 대개 이런 상황을 만드는 사람은 상사다. 상사가 지혜를 선포하고 인애의 법을 말하느냐 그렇지 않느냐에 따라 상황이 달라지는 것이다.

기업의 보스나 관리자 중에는 부하 직원에게 거칠게 지시하거나 심하게 호통치고 욕을 해서 인간적인 모욕을 주는 사람들이 있다. 자기감정에 따라 직원들을 대하는 것이다. 일은 늘 순조롭게 흘러가지 않는다. 한마음이 되어 사태를 수습해야 하는데 감정이 상하면 될 일도 꼬인다. 상사는 부하 직원에게 일을 시키고 부려먹는 사람이 아니다. 경험을 나누고 지혜를 가르치고 일을 시킬 때도 인애롭게 말해야 한다.

이 말씀에 따라 우리 회사는 일방적으로 지시하고 추궁하는 게 아니라 일을 도와주고 가르쳐서 이끌어갈 것을 권한다. 물론 욕은 절대 금지다. 없는 사람을 두고 뒷담하는 것도 절대 금지다.

우리는 어떤 사람의 잘못을 이야기할 때 "이번에 클레임이 많이 생겼는데 일을 제대로 한 거 맞냐?"고 추궁하지 않는다. 일의 원칙을 기준으로 문제의 원인을 찾아 그 점을 환기시킨다. 예를 들면 '엑스트라 마일을 했느냐', '고객에게 보고를 했느냐', '당일에 리턴콜을 했느냐'를 확인한다. 그렇게 점검하다 보면 어떤 것을 소홀히 했는지가 드러나게 되고, 한 사람의 실수를 통해 다른 사람들도 배우게 된다. 실수한 직원도 자신의 잘못을 알게 되지만 상처를 받지는 않는다.

'지혜를 말하고 인애의 법을 말하는 것'에는 정직하면서도 투명하고 슬기롭게 말하라는 뜻도 포함되어 있는 것 같다. 이 말씀을 실천함으로써 우리 회사가 큰 위기를 넘기고 회사 발전의 전환점으로 삼게 된 일이 있었다.

앞에서 언급한 마이애미의 마린스 야구 경기장 부설 주차 건물을 지을 때, 우리 회사는 창립 이래 최대의 위기를 맞았다. 마린스 야구 경기장은 이듬해 4월에 경기가 시작되기 때문에 그 전에 완공해야 했는데 우리는 4개월 전인 12월에 공사를 마무리했다. 그리고 뒷정리를 하고 있는데 다급한 전화가 걸려 왔다. 주차 건물의 네 귀퉁이를 지탱하는 수백 개의 기둥과 보에 금이 가기 시작했다는 것이다. 기가 막혔다. 그럴 리가 없다며 현장에 달려가 보니 놀랍게도 그 말은 사실이었다.

그 주차 빌딩은 6000대의 차를 수용하는 엄청난 규모였다. 눈앞이 캄캄해졌다. 야구 개막 전에 문제가 발견되어서 너무나 다행이긴 했으나 4월에 이곳에서 시합을 개최할 수 없다는 게 큰 문제였다. 그런데 더 큰 문제는 이것이 마이애미만의 문제가 아니라는 점이었다. 야구 경기는 여러 도시가 연합해서 리그를 치르기 때문에 한 경기장에서 차질이 생기면 미국 전체 야구 경기 일정에 문제가 생기는 것이다. 이런 사실이 뉴스에 나기라도 하면 그동안 어렵게 쌓아 온 우리 회사의 신뢰는 한순간에 무너질 것이었다.

보통 심각한 상황이 아니었다. 심장이식수술을 해야 한다고 선고받았을 때도 그렇게 놀라진 않았다.

일단 원인 파악에 착수했다. 그런데 알고 보니 우리만의 책임은 아니었다. 주차 빌딩에는 수천 개의 철물 골조가 사용됐는데 사실 골조 자체는 문제가 없고 겉만 금이 간 것이었다. 그런데 그 금이 간 골조는 우리가 선택한 것이 아니었다. 우리가 건물의 규모나 안전성으로 볼 때 반드시 써야 하는 기준 골조를 권하자 고객 측이 가격이 비싸다는 이유로 싼 골조를 선택했다. 그때 가격 차이가 우리 돈으로 50억 정도 되어서 우리도 더 강하게 밀어붙이지는 못했다.

이를 수습하려면 천문학적인 돈이 들어갈 판이었다. 회사 보험으로는 어림도 없었고 보험사 직원은 고객의 잘못도 있으니 책임을 나눠야 한다고 주장했다. 그렇게 되면 법정 싸움까지 가게 되어 4월까지 보수공사를 마치긴 어려웠다.

금이 간 것은 결정적으로 우리의 잘못이 컸다. 과정이야 어떻든 그것은 나의 책임이었다. 보험사도 고객도 모두 책임지지 않겠다고 하는 상황에서 나는 '우리가 다 살려면 한 사람이 죽어야겠구나'라고 생각했다. 모두가 잘못했지만 누구보다 우리 실수가 더 크니까 우리가 책임지기로 하고 4월 전에 보수공사를 마치는 것이 옳다고 생각한 것이다.

드디어 관련사들이 만나는 날이 다가왔다. 그날은 각자 변호사를 대동해서 '변명'하고 '상대의 책임'을 지적하기 위해 모인 날이었다. 이날 토의 분위기에 따라서 법정 공방으로 가든지 협상을 하든지 결정이 날 것이었다.

그 전날, 나는 고객에게 이메일을 보냈다. 내가 다 책임지겠다고는 하지 않았지만 설계를 다시 하든지 어떤 식으로든지 문제 해결을 위해 최선을 다하겠다고 했다. 그리고 이 일을 통해서 우리가 새로운 것을 배우고 하나님께 가까이 나아가길 바라며, 우리가 해낼 수 없는 것을 하나님께서 해 주신다는 것을 배우는 기회가 되길 바란다고 썼다.

나중에 알고 보니 그는 믿음이 없는 사람이었다. 그렇게 메일을 보내고 마이애미에 도착하니 분위기가 싸늘했다. 사안이 그만큼 심각했기 때문이다. 그런데 고객 측 변호사가 어제 자기 보스에게 부탁받은 이야기를 전해 주었다. 그는 나의 이메일을 그의 아내에게 보여 주었는데 그 아내가 믿음이 있는 분이었다. 그 부인은 오늘 미팅이 있다는 사실을 알고는 "미팅이 끝날 때까지 기도하겠다"고 내게 전해 달라고 했다는 것이다.

그 말을 듣자 갑자기 싸늘했던 분위기가 달라졌다. 진짜 성령님이 오신 것처럼 한결 부드러워졌다. 그럼에도 고객 측은 자재를 싼 것으로 쓰라고 한 사실은 함구하고 모두 내 책임으로 돌리려 했다. 나는 일정 부분 인정하면서도 '함께 잘 해결해 보자'고 설득했다.

나는 "이런 일을 어떻게 해결하는 게 가장 좋은지 이미 다 알고 있지 않느냐"고 말한 뒤 "스타디움이 4월 1일에 개장하려면 누군가가 희생을 해야 한다"고 했다. 그러자 모두 눈이 휘둥

그레져서 도대체 누가 희생해야 하느냐며 서로를 쳐다보았다. 그때 나는 상대적으로 내 실수가 크니 내가 책임을 지고 싶다고 말했다. 물론 이것은 우리 회사의 보험사나 변호사와는 다른 생각이었다. 잘못되면 보험사에서 쫓겨날 수도 있었다. 회사가 보험사에서 퇴출당하면 회사를 운영하기 어렵다. 하지만 그 모든 위험을 감수하더라도 4월 1일 경기장 개장을 위해 희생하겠다고 말한 것이다.

내가 말을 마치자 모두 돌아가며 한마디씩 자기 생각을 말했다. 관건은 보험사가 어떤 생각을 갖고 있느냐였다. 그런데 그때까지 생각에 잠겨 있던 보험사 책임자가 놀랍게도 비용을 100퍼센트 지급해 주겠다고 말했다. 그는 비록 큰 비용이 들겠지만 팀하스 같은 회사는 없다면서 우리를 돕기로 했다고 말했다.

그렇게 해서 보수공사가 시작되었고 4월 1일 야구경기장은 차질 없이 개장할 수 있었다. 첫 번째 경기가 열렸을 때 나는 이번 일에 관계했던 모든 사람을 초청했다. 우리는 즐겁게 게임을 즐겼다.

그 후 나는 함께 일한 회사들을 방문했다. 그 전까지는 공사 담당자들만 만났는데 이번에는 사장이나 부사장이 나를 맞았다. 그들은 하나같이 "왜 당신이 책임을 졌느냐"고 물었다. 당시 보수공사에 들어간 공사비는 25억이나 됐다. 그들은 내가 얼마나 큰 손해를 떠안았는지를 알기에 그 이유가 궁금했던 것이다.

나는 이렇게 설명했다.

"만일 그때 내가 희생하지 않았다면, 4월 1일에 시작되는 경기를 할 수 없었을 것이고, 미국 전체가 우리의 실수를 알게 되었을 것입니다. 그렇게 되면 우리 모두가 다 죽는 것입니다. 그리고 우리 모두는 다 서로의 적이 되었을 것입니다. 모두를 위해서 누군가의 희생이 필요한 순간이 있습니다. 그때가 바로 그런 때였습니다. 그런데 아무도 그 '누군가'가 되기를 원하지 않아서 내가 그 일을 한 것입니다."

그제야 나의 진심을 확인한 사람들은 진심으로 감동하며 고마워했다. 그리고 나의 희생이 컸던 만큼 그들은 나를 귀하게 여겨 주었고 우리는 더욱 끈끈한 사이가 되어 지금까지도 많은 사업들을 함께하고 있다.

참된 희생 뒤에는 진짜 승리가 기다리고 있다. 이 지혜를 사람들은 모른다. 예수님의 희생은 부활이 있기에 확실히 힘이 있다.

내가 만일 그때 나 혼자 100퍼센트 책임을 질 수 없다면서 나머지 세 회사도 책임을 분담하라고 했다면 어떻게 됐을까? 내가 나중에 찾아갔어도 그들은 나를 본 척 만 척했을 것이다. 그

뿐 아니라 우리는 다시는 같이 일할 수 없는 사이가 되었을 것이다.

우리의 사업 목적이 진정 돈이 아니라 하나님의 나라를 전하는 것이라면, 이런 경우 나의 이익을 챙기기보다 인애의 법을 말함으로써 그들과 친구가 되는 길을 선택해야 한다. 예수님을 믿으라고 말로 전하지 않아도 이렇게 우리의 희생과 나눔을 통해 예수님의 존재를 전할 수 있다. 전쟁에 비유하면 지금 당장 벌어진 전투에서 지더라도 최종 승리를 위해서는 '고객과의 관계'를 잃어버리지 않는 쪽을 선택해야 한다. 여기엔 때로 막대한 희생이 뒤따른다.

나는 언제나 은혜로 인도해 오신 하나님을 의지하면서 내게 '직원이나 동료, 혹은 고객'으로 맡겨 주신 사람을 하나님의 눈으로 보기 위해 노력했다.

마이애미의 사고가 났을 때 우리 잘못이 아니라고 끝까지 버텼다면 우리는 25억이란 큰돈을 쓰지 않아도 되었겠지만 그 후에 그보다 몇 배나 더 큰 공사를 우리에게 맡길 고객은 잃었을 것이다.

그런데 당시 나와는 전혀 반대의 길을 간 사람이 있었다. 앞에서 나는 '지혜를 말하고 인애의 법을 말하는 것'에는 정직과 투명함도 포함된다고 말한 바 있는데, 바로 그 부분에서 자신의 잘못을 솔직하게 밝히지 않음으로써 결국 회사에 막대한 손해를 입히고 위기를 가져온 사람이 있었다. 바로 당시 우리 회사의 공사책임자였다.

당시 이 공사를 담당했던 직원은 장차 나의 후계자로도 손색이 없다고 내가 크게 신임하던 사람이었다. 필라델피아의 본부에서 그는 꽤 능력을 인정받았는데 마이애미의 이 사고는 전적으로 그의 실수에서 비롯된 것이었다. 하지만 그에 대한 신임이 컸기에 나는 막대한 손해를 감수하고도 그를 계속 믿어 주었다. 그런데 그 사고 이후 그는 비슷한 실수를 세 번이나 거듭했다.

공사를 진행할 때 설계대로 진행할 수 없는 문제가 발생하면 담당 엔지니어가 먼저 설계한 사람에게 확인을 하고 제3자인 다른 엔지니어가 그 현장을 확인해서 철저하게 점검한 뒤에 공사를 진행해야 한다.

그런데 그는 공사 관리를 소홀히 할 뿐 아니라 그런 문제가 발생했을 때 '보고'하지 않았다. 문제가 발생하면 즉시 고객과 회사 측에 정확한 정보를 보고해야 하는데, 그는 그 일을 제대로 하지 않았다.

어떤 문제가 발생했을 때 관련자 모두에게 알리면 '작은 실수', '작은 손해'로 끝날 일도 감추기 바쁘면 결국 혼자서는 감당하기 힘든 문제로 확대되고 만다. 그는 '정직하고 투명하게' 자신의 잘못을 말하는 지혜가 없었던 것이다.

큰 건물은 일단 세워지면 많은 사람들이 이용하기 때문에 부실공사를 하면 엄청난 인명 피해가 발생할 수밖에 없다. 그래서 우리 회사는 공사 과정을 상당히 엄격하게 관리한다. 그런데 그는 마이애미 경기장 공사뿐만 아니라 이후에도 공사 관리를 소홀히 해서 문제를 일으켰다.

예를 들면 이런 식이다. 고객에게 의뢰를 받고 설계까지 마친 다음 현장에 가서 땅을 팠더니 거기에 지도에도 없던 관이 지나가는 것이었다. 이 경우 설계를 변경해서 그 관을 다치지 않도록 공사해야 한다. 그런데 그는 이 문제를 근본적으로 해결하도록 설계 수정을 하지 않고 일종의 눈가림식으로 설계해서 공사를 진행했다. 그렇게 공사를 하면 당장에는 무리가 없는 것처럼 보이지만 언젠가는 붕괴될지도 모르는 부실 건물이 되고 만다.

하지만 건축 설계에 경험이 많은 공사 담당자들은 설계 내용과 공사 금액만 봐도 여기에 문제가 있다는 것을 짐작할 수 있다. 이 공사 역시 그랬다. 그는 '큰 공사를 적은 예산으로 무리 없이 잘하고 있는' 것처럼 보이려고 노력했지만 전문가들의 눈은 속일 수 없었다. 결국 그가 설계하기 전에 그곳에 관이 지나가는 것을 확인하지 않았다는 사실이 드러났고, 그의 실수로 인해 회사는 2억 5000만 원의 추가 비용을 지출해야 했다.

그는 몇 번의 실수를 거듭한 뒤 스스로 회사를 떠났다. 나도 잘 가라고 보내 주었다. 처음에 실수했을 때는 이 실수가 씨앗이 되어서 회사와 그에게 좋은 교훈이 될 거라 생각했는데 결국 정직하고 투명하게 말하는 지혜의 시험대를 통과하지 못하고 회사를 떠나야 했던 것이다.

이처럼 사업을 하는 사람에게 말은 무척이나 중요하다. 때에 맞는 정직하고 투명한 말을 해야 하며, 나뿐 아니라 나에게 맡겨 주신 이들을 위해 희생을 감당하는 인애의 법을 말할 수 있어야 한다. 그런 자는 주님이 예비하신 귀한 관계, 풍성한 수익을 누릴 수 있게 된다.

Be honest

투명한 회사

≡ 잠언 31장 27절 ≡

She watches over the affairs of her household
and does not eat the bread of idleness.

자기의 집안일을 보살피고
게을리 얻은 양식을 먹지 아니하나니

이 말씀은 회사 내의 자금을 어떻게 운영할 것인가에 적용할 수 있다.

여기서 'she'는 하나님을 믿는 비즈니스맨이고 'affairs'는 회사에서 일어나는 모든 일을 말한다. 회사를 관리할 때 회사 안에서 일어나는 모든 일을 구체적으로 알아야 한다는 것이다. 그것을 '보살핀다'와 'watch'로 표현하고 있다. 물론 돈이 어떻게 나가고 들어오는지도 정확하게 알아야 한다. 특히 직원들이 회사 돈이라고 해서 함부로 쓰지 못하도록 관리를 세심하게 해야 한다.

Does not eat the bread of idleness.

노력하지 않고 얻은 빵을 먹지 않는다.

흔히 비즈니스를 하다 보면 남을 속일 수 있는 기회가 참 많이 생긴다. 미국에서는 의사들이 구속되는 경우가 많은데 보험료를 속이기 때문이다. 보험 가입 환자가 하지 않은 검사도 리스트에 체크만 하면 그 주에 보험료가 병원으로 들어온다. 이런 사실이 들통 나면 의사 면허까지 정지된다. 건설업계 역시 마음만 먹으면 속임수로 보험료를 더 타낼 수 있다.

우리 회사는 그런 속임수를 절대 쓰지 않는다. 돈의 출처를 깨끗하게 정리하고 우리가 벌지 않은 돈을 벌었다고 속이지도 않는다.

회사 설립 2년쯤 지났을 때 한번은 우리가 사는 지역의 공무원한테서 전화가 왔다. 어느 교회에서 불이 나 벽 한쪽만 남기고 완전히 타 버렸는데 보험사가 화재 원인을 조사하는 동안 그 벽을 그대로 둬도 안전할지 정밀진단을 해 달라는 것이었다. 비용이 얼마나 드냐고 묻기에 비교적 간단한 일이고 우리 회사 신참 엔지니어를 보내면 되겠기에 시간당 75달러가 든다고 말했다.

하지만 막상 신참을 보내려니 그가 다른 일을 하고 있어서 출장 나갈 형편이 아니었다. 하는 수 없이 그보다 인건비가 훨씬 비싼 고참 엔지니어를 보내면서 신속하게 안전진단을 하라고 했다.

그런데 그로부터 두 달쯤 지났을 때 우연히 그 화재의 현장을 지나다가 까마득히 잊고 있던 사실을 떠올리게 됐다. 우리 회사 회계 담당에게 이 벽의 안전진단 비용으로 시간당 75달러를 받으라고 지시하는 것을 잊고 있었던 것이다. 부랴부랴 확인해 보니 아니나 다를까, 고참 엔지니어가 이 일을 했다는 사실만 확인한 회계 직원은 시간당 100달러가 넘는 금액을 청구했고 이미 돈도 받은 뒤였다.

나는 약속보다 더 받은 돈을 모두 돌려주라고 지시했다. 비록 고참 엔지니어가 나갔더라도 그 일이 시간당 75달러짜리 직원도 할 수 있는 일이라 판단했고, 그렇게 받겠다고 고객과 약속했으므로 그 이상을 청구하는 것은 '정직하게 땀 흘리지 않고 게을리 얻은 양식'과 같다고 보았기 때문이다.

얼마 뒤, 그 돈을 돌려받은 공무원이 전화해서 "이게 무슨 돈이냐?"고 물었다. 그리고 나의 설명을 들은 그는 무척이나 놀란 듯 잠시 침묵하더니 "앞으로 일거리가 생기면 모두 당신에게 주겠다"고 말했다. 당연히 해야 할 일을 했을 뿐인데도 우리는 그 공무원으로부터 '다른 회사와는 다른' 특별한 회사라는 무한 신뢰를 얻게 되었다.

이렇듯 성도가 말씀을 따를 때 하나님의 일하심을 목도할 수 있다. 게을리 얻은 양식을 먹지 않기 위해 나와 우리 직원들이 되돌려준 작은 물질은 하나님 안에서 언제나 큰 신뢰와 가족 같은 관계, 그리고 풍성한 물질로 되돌아오곤 했다.

Praise that matters

가족의 칭찬과 인정을 받는 회사

≡ 잠언 31장 28-29절 ≡

Her children arise and call her blessed;
her husband also, and he praises her:
"Many women do noble things, but you surpass them all."

그의 자식들은 일어나 감사하며
그의 남편은 칭찬하기를 덕행 있는 여자가 많으나
그대는 모든 여자보다 뛰어나다 하느니라

이 두 구절은 함께 보는 게 이해하기 좋은데 이 말씀은 비즈니스맨의 가정생활에 대해 이야기하고 있다. 사회에서 아무리 큰일을 하고 큰 회사를 운영한다 해도 가정에서 아내나 남편, 그리고 부모와 자녀에게 칭찬과 인정을 받지 못한다면 모두 헛될 뿐이다.

지금은 한국도 많이 달라졌지만 불과 수십 년 전만 해도 남편은 바깥일을 한다는 이유로 집안일에 소홀한 것을 당연하게 여겼다. 하지만 성경은 바깥일을 하되 가족에게 칭찬과 인정을 받으라고 가르치고 있다. 다행히 나는 아내와 형제 그리고 자녀들에게 칭찬과 축복을 종종 받는 편이다. 부족한 면이 있어도 나를 사랑해 주는 가족이 있어서 얼마나 감사한지 모른다. 그런데 아내와 큰딸은 나와 사업을 함께하고 있다. 그들은 내가 밖에서 어떻게 사업을 하는지 훤히 알고 있다. 그럼에도 불구하고 나를 인정해 준다는 것이 더욱 기쁘다.

28절 말씀은 단순히 가정에서도 잘하라는 뜻이 아니다. 내가 밖에서 칭찬을 받을 만한 일을 했을 때 그들도 나를 인정해 준다는 뜻이다. 나는 종종 가정의 불화로 고민하는 가장이나 비즈니스맨들에게 이렇게 묻곤 한다.

"혹시 세금을 정직하게 내십니까?"

그러면 대답을 못하는 경우가 많다. 그러면 다시 묻는다.

"그걸 자녀들이 모를까요?"

아이들은 나라에 세금을 내는 것을 당연한 것으로 배우며 자란다. 그런데 사업장에서는 세금을 한 푼이라도 안 내는 것을 자랑으로 여긴다. 정직한 자녀는 그런 아버지에게 실망할 것이다.

미국의 경우 10만 달러를 벌면 그것의 40퍼센트가량인 약 4만 달러가 세금이다. 자녀들도 월급을 받으면 상당액이 세금으로 나가기 때문에 정말 절약해서 살아간다. 그런데 아버지의 돈 씀씀이를 보니까 10만 달러 버는 사람 같지가 않은 것이다. 알고 보니 소득 신고를 거짓으로 해서 탈세를 하고 있었다. 아버지가 정직하지 않다는 걸 아는 자녀는 아버지가 꾸중하면 대꾸를 못할 뿐 아버지의 말을 인정할 수 없게 된다.

비즈니스맨은 성경적으로 일해야 한다. 직원들과 주변의 어려운 이웃을 위해 자신이 희생해서 그들을 힘껏 도와야 한다. 하나님은 남에게 선을 베풀고 사업을 통해 하나님의 마음을 전하는 그런 가정에 화목을 선물로 주신다. 그래서 성경적으로 사업하면 가족과도 큰 문제가 없다. 그런 가장을 가족은 사랑하고 인정할 수밖에 없기 때문이다. 하나님의 축복을 받아 화목한 가정을 이루고 싶다면 먼저 성경적으로 일함으로써 가족의 칭찬과 인정을 받아야 한다.

The true wisdom

하나님을 두려워하는 회사

≡ 잠언 31장 30절 ≡

Charm is deceptive, and beauty is fleeting;
but a woman who fears the LORD is to be praised.

고운 것도 거짓되고 아름다운 것도 헛되나
오직 여호와를 경외하는 여자는 칭찬을 받을 것이라

잠언 31장 전체를 통틀어 가장 중요한 지혜가 바로 이 구절에 나온다. 바로 여호와를 두려워하는 것이다(fear the Lord). 하나님을 두려워하며 그 말씀을 지키고 따르기를 힘쓰는 것, 그것이 비즈니스에 있어서 최고의 지혜이자 비결이다.

'고운 것', '아름다운 것'은 외모를 가리키는 말이기도 하지만 세상 사람들이 사업을 하면서 동원하는 각종 세상적 방법들도 포함한다. 물론 뇌물도 포함한다. 온갖 달콤한 방법으로 고객의 마음을 사기 위해 노력하지만 모든 물질과 영혼의 주인이신 하나님을 두려워하는 비즈니스맨만이 세상은 물론 가정의 칭찬도 받게 된다는 의미다.

구체적인 방법과 축복의 경로는 우리 회사가 걸어온 지난 20년의 역사에서 발견할 수 있다. 우리는 같은 비즈니스를 하되 말씀을 따라 열심히 사업을 하고, 고객과 직원들, 그리고 이웃들을 돌보는 데 힘썼다. 영업을 위해 달콤한 방법으로 고객을 유혹한 적은 단 한 번도 없다. 그러자 주님이 좋은 분들을 고객으로 보내 주실 뿐 아니라 세상과 가족에게 칭찬을 받는 축복도 주셨다. 이것이 내가 아는 유일한 성공의 비결이다.

The reward, the promise

하나님의 언약을 체험하는 회사

≡ 잠언 31장 31절 ≡

Give her the reward she has earned,
and let her works bring her praise at the city gate.

그 손의 열매가 그에게로 돌아갈 것이요
그 행한 일로 말미암아 성문에서 칭찬을 받으리라

하나님의 축복은 30절에서 끝나지 않고 31절까지 이어진다. 이미 충분히 축복을 받았다고 생각하는데 하나님은 주님의 말씀대로 사업을 하는 자녀들에게 더 많은 축복을 부어 주신다. 어려운 이웃을 위해 열심히 일하여 얻은 열매가 나에게 돌아오며 많은 사람들이 바라보는 자리에서 내가 칭찬을 받도록 명예도 주신다는 것이다. 사실 사람에게 이만 한 동기부여는 없다. 하나님께서 세상 가운데서 사랑하는 자녀를 높이 치켜세우신다는 뜻이다.

그 축복을 나도 받았다. 나는 주님의 인도하심과 은혜로 사업을 성공적으로 꾸려 가고 있다. 귀한 파트너들과 은인과 같은 고객들도 만났다. 나를 언제나 믿어 주고 격려해 주는 아내와 자녀도 있다. 돈도 넉넉하게 살 만큼은 번다.

그럼에도 불구하고 하나님은 나에게 감당할 수 없는 축복을 더하셨다. 3년 전 버락 오바마 대통령에 의해 국립건축과학원(National Institute of Building Sciences, NIBS)의 이사 후보로 지명되어 국회의 인준까지 받았다.

국립건축과학원은 비영리, 비정부기관 단체로서 전문가, 정부 단체 대표들, 소비자, 그리고 노조가 함께 주거용, 상업용, 공업용으로 안전하고 적합한 건축물 발전에 저해가 되는 현안이나 앞으로 일어날 문제들에 대해 함께 논의하는 곳이다. 국립건축과학원은 미국의 모든 건물을 총괄하는데 여기서 건축정책을 정하고 이에 근거해 건물을 심사한 뒤 건물 코드를 부여해 준다. 건축 관련 기관이 엄청나게 많은데 그 기관들이 모두 이 국립건축과학원 소속이다.

이 단체에서 심사하고 결정하면 국회는 그 내용대로 조인하는 역할만 한다. 국회는 건축 전문가가 아니기 때문이다. 그만큼 이 단체의 역할이 중요하다. 최근 친환경 빌딩 조성에 힘을 모으고 있는데 만일 우리가 심사를 잘못하면 건축산업만 부추기는 결과를 가져오기 때문에 에너지도 절약하고 환경도 고려하는 정책을 신중하게 만들어 가고 있다.

대통령이 이 협회의 이사 후보를 지명하면 연방정부가 약 2년간 그 후보에 대해 조사를 하게 된다. 지난 50여 년을 산 내 인생의 모든 순간이 그들에 의해 낱낱이 해부되는 것이다. 그 과정에서 조금이라도 문제가 있으면 후보 지명은 취소된다. 동시에 나의 부끄러운 면면이 낱낱이 공개된다. 그런 것이 염려되어 후보 지명을 수락하지 않는 사람도 많다. 연방정부는 내게도 이 후보 지명을 수락할 것인지를 물어 왔고, 나 역시 고민이 되었다.

나는 이런 일을 꿈꾼 적도 없고 바란 적도 없다. 더구나 조사 과정에서 나도 모르던 문제가 드러난다면 그동안 애써 쌓아 올린 신뢰에 금이 갈 것이다. 하지만 내가 후보로 지명된 과정을 돌이켜보니 하나님의 인도하심이란 생각이 들었다.

3년 전 어느 날 25년 전에 잠시 함께 일한 적이 있는 분에게서 전화가 왔다. 국립건축과학원에서 이사 후보를 찾는데 당신이 생각나서 전화했다는 것이었다. 그는 내가 대학 졸업 후 잠시 일한 적 있는 토목협회에서 당시 회장으로 있던 분이었다. 그때의 인연으로 그는 내가 건축 설계 회사를 운영한다는 말을 듣고 연락한 것이다. 너무 뜻밖의 전화를 받고서 나는 '내겐 큰 영광'이라며 정중하게 감사를 표시했지만 내심 그런 자리를 맡고 싶지 않았다. 안 그래도 바쁜데 더 바빠질 것 같았기 때문이다.

하지만 그가 내게 전화를 건 경위가 너무나 신기했다. 국립건축과학원에 등록된 회원이 몇 만 명에 이른다. 더구나 25년 전에 그분을 만났다지만 당시 나는 대학을 갓 졸업한 애송이에 불과했다. 건축업계의 대원로인 그가 국립건축과학원의 이사를 추천하는 과정에서 어떻게 애송이 시절의 나를 떠올린단 말인가. 아무리 생각해도 하나님의 일하심이 아니고는 설명할 길이 없었다. 과연 하나님은 이 일을 통해 무엇을 하기 원하시는 걸까, 하는 기대감이 생겼다.

더구나 21명의 임원 중 단 6명이 미국 대통령에 의해 임명되는데 이 6명은 본인이 사퇴하지 않는 한 종신직이다. 건축가로서는 최고의 명예직이 아닐 수 없었다.

그는 "팀, 후보가 되려면 신원조사를 해야 하는데 자네가 수락한다면 후보자 명단에 자네 이름을 올리고 싶네"라고 말했다. 물론 백악관에서 다른 사람들에게도 제안을 했을 테니 나에게 연락이 오지 않을 수도 있다고 말했다. 그런데 얼마 지나지 않아 백악관에서 '후보 지명' 사실을 알려 왔고 마침내 신원조회가 시작됐다.

그 과정은 상상 이상으로 복잡하고 엄격했다. 일단 기본 서류만 80페이지가량을 써 냈다. 그러면 FBI가 나와서 기록한 내용을 토대로 조사하기 시작한다. 그때 내가 걸린 사항이 하나 있는데 해외출입국 기록이었다. 외국을 많이 다니는데 기록이 누락된 것이 있다면서 고등학교 때 기록까지 적어 내라고 했다.

하지만 나는 한국에만 20회 다녀왔고 중국은 6~7회 다녀왔는데 그것을 모두 정확하게 기록하려니 보통 일이 아니었다.

나는 조사관으로부터 수많은 질문을 받았다. 불법 이민자를 고용한 적이 없느냐, 탈세한 적이 없느냐를 비롯해 사생활과 사회생활까지 세세하게 질문하는데 거의 감사를 받는 수준이었다. 그들은 심지어 우리 교회 홈페이지에 올라온 내 설교까지 다 들었다고 했다.

그들은 특히 탈세와 관련해 큰 금액부터 작은 금액까지 집요하게 추궁했다. 그도 그럴 것이, 대통령이 직접 지명한 후보가 신원조회 과정을 통과하지 못하면 대통령의 인선 능력에 문제가 있다고 판단되기 때문에 철저하지 않으면 안 되었던 것이다. 나는 회사의 모든 수입과 비용 지출, 그리고 납세 금액에 대해 일일이 확답해 주어야 했다.

그렇게 1년여의 신원조회를 통과한 뒤 백악관으로부터 이사 선임을 받았다. 취임선서를 할 때는 공화당 소속 의원 2명과 스태프 4~5명, 민주당 소속 의원 2명과 스태프 4~5명이 배석했다. 의원들은 나에게 "당신은 이 일을 할 수 있느냐"고 물었다. 나는 기도하는 마음으로 "최선을 다하겠다"고 대답했다. 그러고도 국회가 나의 국립건축과학원 이사 선임 건을 투표로 인준했다. 이 모든 과정이 끝나는 데 꼬박 2년이 걸렸다.

그렇게 해서 나는 2013년부터 국립건축과학원 대통령 지명

이사가 됐다. 건축가로서는 최고의 명예를 하나님이 선물로 주셨다. 이 일로 하나님이 무엇을 하실지 기대하는 마음으로 겸손하게 맡은 일을 감당하고 있다.

살아 계신 하나님의 언약, 그 언약의 시제는 과거가 아니다. 현재이자 미래다. 그것을 믿고 실천해서 그 언약이 약속한 축복을 체험한다면 그보다 더 복 있는 인생은 없을 것이다. 사람이 믿음으로 그 복을 누릴 수 있듯이 기업도 마찬가지다. 하나님의 말씀을 붙들고 나아가는 비즈니스 현장은 약육강식의 정글이 아니라 신뢰와 기쁨, 기적과 축복의 현장이다. 나와 우리 회사의 모든 사람은 잠언 31장의 말씀을 통해서 그 복을 날마다 체험하고 있다.

미국 기업에 전파되는 '잠언 31장' 경영

목회를 하면서 가장 기쁜 일은 성도들이 헌금을 많이 하거나 교회 건축을 하는 것보다 한 생명이 "예수님 믿겠습니다"라고 고백하는 것을 듣는 것이다. 그런데 잠언 31장으로 회사를 경영하면서 그런 기쁨이 있었다. 8~9년 전쯤이었을 것이다. 미시간에서 엔지니어 폴 토니(Paul Tourney)가 찾아왔다. 회사를 시작하려는데, 우리 회사의 경영철학과 핵심 정신을 사용해도 되겠느냐며 자료를 달라고 했다. 그 말이 너무나 반가웠다.

우리 회사의 고유 콘텐츠를 가져가겠다는데 그게 왜 기쁘냐고 하겠지만, 엄밀히 말하면 그것은 성경 말씀에 근거한 것으로 우리 회사의 것이 아니다. 값없이 은혜로 받은 것을 이웃과 나누는 것이 당연했다. 그것이 성도의 삶이 아니던가. 나는 그에게 모든 자료를 주면서 필요한 것은 얼마든지 돕겠다고 했다.

그러고 나서 2년쯤 뒤에 협회 행사에 갔다가 미시간에서 온 사람을 만났는데 그가 자기 회사에 대해 자랑했다. "우리 회사는 우리가 일을 열심히 하고 돈을 많이 벌면 벌수록 어려운 사람을 더 많이 도울 수 있다. 그게 너무 행복하다"고 한 것이다. 경영철학이 우리 회사와 비슷해서 어디를 다니느냐고 묻자 바로 폴 토니가 만든 회사였다. 그는 기대 이상으로 성경적으로 회사를 경영하고 있었던 것이다.

폴 토니 회사에서는 천국 같은 소식이 계속 들려왔다. 그 회사 직원 중 하나가 암에 걸려서 휴가를 냈는데, 유급 휴가 기간이 끝나도록 복귀하지 못했다. 유급 휴가 기간이 끝나면 더 이상 월급을 받지 못하게 된다. 폴은 이 상황을 지켜보다가 자신의 유급 휴가 기간을 그에게 양도했다. 그러고도 그가 복귀하지 못하자 다른 직원이 자신의 유급 휴가를 양도했다. 결국 이 흐름은 모든 직원에게까지 미쳤고, 암에 걸린 직원은 지금도 월급을 받고 있다고 했다. 그뿐 아니라 그 회사 직원들은 암에 걸린 직원과 그 가족을 위해 기금을 모으고 있다고 했다. 그의 아내가 그 회사에서 비서로 일하고 있는데 암에 걸린 직원이 세상을 떠나도 가족들을 회사에서 책임지고 도울 계획이라는 것이었다.

그 말을 듣고 나도 기금 모금에 참여하게 됐다. 그와 나는 이처럼 잠언 31장으로 회사 경영과 영혼을 구하는 사역을 함께하고 있다.

그러던 어느 날 잠언 31장에 근거한 우리 회사의 경영 방식에 대해서 전문가의 진단을 공식적으로 받을 수 있는 기회가 있었다. 내가 전에 다니던 워커사의 창업자인 칼 워커는 주차 빌딩 건축의 개척자라고 할 수 있다. 그가 나타나기 전까지 미국에는 주차 빌딩이라는 개념조차 없었다.

믿음도 좋고 진실한 사람이었던 칼 워커는 아내와 이혼한 후 회사를 다른 사람에게 넘기고 3년간 아프리카 선교를 다녀왔다. 그리고 다시 회사를 차렸는데 직원이 100명 정도 되었다.

그런 그가 지금 우리 회사의 이사다. 2003년께 나는 그에게 우리 회사의 이사가 되어 달라고 부탁했다. 그는 비즈니스 확장에 있어서 탁월한 능력을 가진 사람이었다. 확장은 아주 계획적인 일이기 때문에 배워야 했다. 그래서 회사의 주요 계획과 상황을 알려 준 뒤 조언을 구했다. 그로부터 3개월이 지난 뒤 칼은 3개월을 더 달라고 했다. 한 가지 보이는 게 있는데 확실치 않다는 것이었다. 그렇게 6개월이 흐른 어느 날 그는 내게 뜻밖의 말을 했다.

"나를 이 회사에 부른 것은 회사에 새로운 바람을 불어넣기 위한 것이라는 걸 이해합니다. 그런데 내가 관찰하며 느낀 것은 만일 내가 세 번째 회사를 시작한다면 이런 회사를 차리고 싶다는 것입니다. 나도 배우면서 도울 게 있으면 돕겠습니다."

칼의 진단은 우리에게 큰 격려와 힘이 되었다. 나는 그의 말을 '지금 잘 가고 있다. 굳건히 가던 길을 계속 가라'는 하나님의 음성으로 이해했다.

Gateway Transit Village

New Brunswick, NJ

Part 3

팀하스의 주차 빌딩과 하나님의 비즈니스

주차장 건축과 하나님 축복의 비밀

우리 회사는 주차 빌딩 전문 건축회사다. 내가 이렇게 말하면 사람들은 다 의아해하면서 어떻게 주차장 빌딩을 지을 생각을 했느냐고 묻는다. 나도 그것이 의문이다. 사실 미국에서 건축을 공부한 사람치고 주차장 건물을 짓겠다는 사람은 없다. '내가 대학까지 나왔는데 주차장 따위를 지을 수는 없지' 하는 것이다.

그때만 해도 주차장은 볼품없는 곳이었기 때문에 미국의 건축가들 중에 주차장에 관심을 갖는 사람은 없었다. 모두가 호텔이나 박물관을 설계하고 싶어 했다. 하지만 통계적으로 건축가가 박물관을 설계할 수 있는 확률은 5퍼센트도 되지 않는다. 서울에서 1년에 박물관을 몇 개나 짓는가? 아무리 큰 도시에 살아도 10년에 1개 지을까 말까 한다. 호텔도 마찬가지다. 건축가는 1년에 수천 명 배출되지만 호텔은 그들 수의 1/1000밖에 짓지 않는 것이다.

그럼에도 불구하고 건축가들은 호텔과 박물관만 짓기를 소망한다. 명성과 인기를 바라는 것이다.

나는 건축학과에 입학했으나 막상 건축학이 너무 재미없어서 구조공학을 같이 공부하기 시작했다. 유펜의 담당 교수님이 매우 특이한 분이었는데, 그는 건축과 함께 환경과 구조공학, 그리고 교통 시스템까지 가르쳤다. 그래서 하루는 그런 걸 왜 다 배워야 하느냐고 물었다. 그러자 교수님은 단호하게 이렇게 대답했다.

"나는 여러분을 도시 지도자로 만들기 위해 이 모든 것을 가르칩니다. 만일 건축과 구조공학만 공부하고 싶으면 다른 대학으로 가십시오."

단순히 건축 기술자가 아니라 도시를 설계하는 사람을 키우고 싶어 한 교수님 덕분에 나는 건축물과 주변 도시 환경 전체를 보는 눈을 갖게 되었다. 하지만 우리가 졸업할 무렵인

1979년, 1980년은 미국 경제가 매우 어려운 불경기였다. 우리 모두는 박물관과 호텔을 짓는 유명 건축회사에 취직하기를 바랐지만 하늘의 별 따기만큼이나 취업문이 좁아진 상태였다.

그런데 전혀 생각지도 않던 원자력발전소에서 계속 건축 의뢰가 들어왔다. 하지만 원자력발전소 설계는 건축의 기본 구조나 설계 방법에 있어서 다를 게 없었지만 볼품이 없어서 아무도 하고 싶어 하지 않았다. 나는 원자력발전소에 들어가 일하기 시작했으나, 다른 원자력발전소에서 사고가 생기는 바람에 원자력발전소 설계 일이 거의 없어져 회사를 그만두게 되었다.

그다음으로 들어간 회사가 주차장 설계를 하는 회사였다. 그런데 이 회사에 오니 대학에서 배웠던 환경, 교통, 구조공학이 다 필요했다. 게다가 나는 건축 설계 못지않게 구조공학 쪽 일을 좋아했다.

당시만 해도 주차 빌딩은 구조공학적으로 안전하기만 하면 되어서 디자인이나 외형이 정말 볼품이 없었다. 게다가 주차장에 대한 사람들의 인식은 '필요하니까 가긴 하지만 빨리 벗어나야 하는 공간'이었으며 '범죄가 발생하고 이상한 사람들이 은둔하는 곳'이었다.

그런데 가만히 생각해 보니 주차장은 갈수록 더욱 중요해지고 있었다. 이것은 사람들이 점점 더 아웃도어 라이프를 선호하는 것과 궤를 같이했다. 마이애미가 그렇게 더운데도 사람들은 밖에서 걷고 싶어 한다. 걸어서 이 상점에도 가고 저 상점에도 가고 싶어 한다. 실내에서 실내로 돌아다니는 것을 편리하게 생각하던 시대가 지나간 것이다.

이런 추세를 보면서 앞으로는 쇼핑몰이 변하겠구나 하는 생각이 들었다. 실제로 지난 7년간의 통계를 보니 미국 전체에서 새롭게 오픈한 쇼핑몰이 단 한 군데도 없었다. 생활 패턴의 변화로 사람들은 이전만큼 쇼핑몰을 찾지 않는 것이다. 쇼핑몰을 살리고 도시를 살리고 지역을 살리려면 현재와 같은 주차 건물이어선 안 되겠다고 생각했다. 지금과는 전혀 다르게 안전하고 쾌적한 주차 시설이 필요했다.

때마침 시작된 불경기도 주차 빌딩 건설에는 호재로 작용했다. 경기가 나빠지고 인건비가 오르면서 오너드라이버가 늘어났다. 당연히 주차장이 더 중요해졌다. 운전기사가 있을 때는 운전기사가 차를 관리해 주니까 주차장이 좀 볼품없어도, 불편해도 상관이 없었다. 그러나 본인이 직접 주차하고 차를 관리하면서부터 주차장을 찾느라 빙빙 돌거나 멀리 주차하고 걸어오는 일이 굉장히 불편해졌다. 그만큼 차량 소통이 많아졌고 사람들이 몰리는 곳이면 주차 수요가 높아졌다.

이런 시대적 변화를 주의 깊게 주시하면서 우리는 미국에서 처음으로 주차장을 건축 미학적으로 디자인하기 시작했다. 그리고 우리의 예측은 놀랍도록 정확하게 맞아 떨어졌다.

성경적 주차 빌딩, 건축계의 블루오션이 되다

성경을 보면, 하나님의 관심이 겉보기에 우아하고 고상한 사람들보다 남들이 천시하고 대수롭지 않게 여기는 사람들에게 있음을 알 수 있다. 예수님도 세상에 오셔서 가난한 자, 병든 자, 귀신 들린 자들을 더 가까이하셨다. 나의 부모님만 해도 한센병 환자촌에서 13년간 그들의 가족이 되어 살았다.

하나님은 그 섬김을 크게 축복하셔서 한국에서도 아무도 살고 싶어 하지 않는 한센병 환자촌에서 미국의 정신이라 불리는 도시, 필라델피아로 우리를 옮기셨다. 정말이지 한순간에 땅끝에서 천국으로 옮기시는 듯한 대이동이 일어났다. 1969년에 아무것도 없는 가난한 목회자 일가족이 미국에 와서 정착한다는 것은 기적 같은 일이었다.

아버지는 미국인 선교사들의 도움으로 신학대학을 다니는 동시에 교회를 개척하셨고, 우리는 어린 나이에도 아르바이트를 하면서 열심히 공부해 형은 대기업에 취직했고, 남동생과 여동생은 의사가 되었다. 모두가 기적 같은 하나님의 은혜였다. 성경 말씀 그대로 어려운 이들을 섬기고 그들을 도우면 하나님께서 은혜로 우리의 삶을 인도하신다는 것을 나는 삶으로 배우고 경험했다.

20세기 초만 해도 화장실이 집 밖에 있었다. 그래서 화장실을 가리키는 단어가 '집 밖에 있다'는 뜻의 'outhouse'다. 한국에서도 뒷간이라고 해서 집 밖에 두었다. 하지만 이제 화장실은 집 안에 있다. 그리고 침실이나 거실만큼 깨끗해졌다. 여전히 가고 싶은 곳은 아니지만 중요한 공간임을 알았기 때문이다. 요즘은 어떤 건물을 설계해도 화장실에 상당히 신경을 쓴다. 화장실이 어떻게 배치되어 있는가에 따라서 공간 활용이 얼마나 편리하고 아늑한가가 결정되기 때문이다. 호텔에서도 화장실이 불결하면 호텔의 격이 떨어진다.

주차장도 마찬가지다. 도심 한가운데 커다랗게 올라간 주차 빌딩이 어떤 옷을 입고 있느냐에 따라 도시가 죽기도 하고 살아나기도 한다. 미국에서 차는 사람의 다리와 같다. 차라리 대륙에 가까운 미국에서는 바로 옆집에 갈 때도 차를 가져간다. 하지만 많은 사람들이 오가는 도심에 가까울수록 주차 규정도 엄격해서 아무 데나 차를 세울 수가 없다. 그런데 주차장은 최근까지도 마치 옛날의 화장실(뒷간)처럼 우중충하게 방치되어 있었다. 화장실이 인간의 삶에서 매우 중요한 공간이듯이 주차장은 현대인에게 매우 중요한 공간이 되었다.

그래서 나는 주차장을 건축 미학적으로 아름답게 설계하는 동시에 복합 빌딩으로 설계해야겠다고 생각했다. 그게 10년 전쯤이었는데 대표적인 예가 유펜(펜실베이니아대학)의 주차 빌딩이다.

유펜은 건물이 300동이 넘는 대학이다. 대학이 도시를 거의 잠식하다시피 하고 있다. 그런데 대학가 주변에서 심심찮게 범죄가 발생한다. 내가 대학을 다닐 때만 해도 1년에 한 번꼴로 살인 사건이 터졌다. 강변에서부터 시내로 갈수록 분위기가 나빠지는데 특히 학교 서쪽에서 사고가 많이 났다. 그렇다 보니 사람들은 대학가 주변에 오기를 꺼려했다. 하지만 아무것도 모르는 외국인들이 새벽에 주변을 돌아다니다가 건달들에게 걸려서 사고를 당하는 일도 많았다. 이것이 소문이 나면서 학생들이 유펜을 기피하는 현상이 벌어지자 대학이 나서서 경찰을 배치하는 등 문제 해결에 나섰으나 그것도 한계가 있었다.

바로 그때 나는 경찰이 순찰을 도는 것도 한계가 있으니 지역의 분위기를 바꾸는 것이 필요하다며 주차 건물을 제안했다. 처음에 대학 측은 내 말을 이해하지 못했다. 나는 사람들이 많이 다니는 곳에서는 사고가 나지 않는다며 사람들의 통행이 많은 지역으로 바꾸겠다고 그들을 설득했다. 결국 대학은 내 의견을 받아들여 우범 지역 주변의 땅을 사들이기 시작했고 주차 건물을 건축하기에 이르렀다.

위로는 주차 공간을 만들고 1층에는 24시간 영업하는 대형 마트를 설계했다. 대형 마트는 낮에 일하느라 바쁜 사람들이 편한 시간에 와서 장도 보고 간단한 식사와 차를 마실 수 있는 공간으로 만들었다. 실제로 직장인은 물론 학생들까지 마트를 이용했고 24시간 내내 사람들이 붐비자 인근 상가에까지 영향을 미쳐 매상이 3배나 올랐다. 예상은 했지만 기대 이상의 변화였다.

소문이 퍼지자 주차 빌딩에 둔 상가에 서로 들어오려고 경쟁이 치열해졌다. 주차 빌딩에 있는 커피숍은 1년 내내 손님이 끊이지 않았기 때문이다.

주차장을 이용하는 사람들은 이왕이면 깨끗하고 안전한 빌딩에 차를 대고 싶어 하기 때문에 비용이 좀 들더라도 믿을 만한 주차장을 찾는다. 그리고 사람들이 목적지에만 왔다가 가면 주변 상가에 아무런 영향을 미치지 못한다. 하지만 주차 빌딩에 차를 댄 사람들은 그 일대를 걸어 다니면서 상가를 이용하게 되어 주변 상권도 살아나게 된다.

주차 빌딩이 쾌적하고 아름다우며 거기에 사람들이 흔히 이용하는 커피숍이나 베이커리, 24시간 대형 마트가 있으면 사람들이 몰린다. 자연히 그 일대가 밝아지고 24시간 내내 사람들이 다니기 때문에 범죄도 일어나지 않는다.

주차 빌딩 하나로 우범 지역이던 곳이 살아난 것이다.

우리가 지은 주차 빌딩으로 인해 이런 변화가 일어나는 것을 보면서 우리 스스로도 놀랐다. 기대는 했지만 이렇게까지 파급 효과가 클 줄은 몰랐다. 사람들이 싫어하는 공간을 좀 다르게 만들자 해서 시작한 일인데 막상 시작하고 보니 우리가 지은 주차 건물 때문에 죽었던 주변 상권까지 살아나는 것을 보고 전율하게 되었다. 그제야 이 모두가 하나님의 인도하심임을 알게 되었다. 누구든지 볼품없을지라도 하나님의 말씀이 들어가면 살아나듯이 주차 빌딩도 하나님이 주신 마음으로 시작했더니 주변 상가까지 살아났다.

이를 계기로 우리 회사에 대한 신뢰도도 높아졌다. 우리 자신도 주차 빌딩을 지으면서 도시 전체를 보는 안목이 생겼다. 예를 들어 어떤 사람이 어느 지역을 개발하고 싶다면서 “어떻게 해야 수익이 높아지겠느냐”고 물으면 다른 건축회사들은 건물의 미학적인 측면과 안전성을 이야기한다. 하지만 우리 회사는 그런 것은 물론이고 그 건물로 접근하는 환경의 편리성과 안정

성, 그리고 수요성을 어떻게 높일 것인지를 이야기한다.

시간이 지날수록 주차 빌딩은 이제 주차 기능뿐 아니라 일반 건물의 기능도 가진 복합 건물로 발전하고 있다. 그래서 우리가 설계하는 건물은 다른 어떤 독립적인 일반 건물보다도 종합적이다. 상가나 사무실, 주택과 주차 빌딩은 완전히 성격이 다르기 때문에 이걸 하나의 빌딩에 넣으려니 상당히 복잡하다. 기본 성격은 주차 빌딩이되 그 안에 모든 것이 들어가는 건물인 것이다.

시에서 건축 허가를 내줄 때도 일반 건물보다 훨씬 더 복잡한 과정을 거쳐야 한다. 특히 화재 예방 관련 시설과 대비 시스템이 철저해야 한다. 그렇다 보니 일반 건축회사에서 엄두를 내기가 힘들다. 다행히 우리는 이런 건물을 설계하는 데 특화된 전문 기술을 가지고 있다.

처음에는 주차 건물 전문 설계 회사라는 이유로 젊은이들이 우리 회사에 들어오기를 꺼려했다. 젊고 열정이 있는 건축가일수록 100층짜리 고층 건물을 설계하고 싶어 하기 때문이다. 그래서 신입사원들에게 솔직히 말하라고 하면 오고 싶어서라기보다 마땅히 갈 데가 없어서 왔노라고 말하는 사람이 많았다.

그런데 막상 입사해서 설계해 보면 대개는 무척이나 재미있어 한다. 그래서 주차 빌딩을 디자인하다가 일반 주택이나 고층 건물을 짓는 회사로 가는 경우는 거의 없다. 사실 고층 건물 설계가 제일 지루하다. 뉴욕에 있는 한 건축 설계 회사는 세계적인 고층 빌딩만 전문적으로 짓는 회사다. 젊은 건축학도들이라면 모두 그곳에 입사하고 싶어 한다. 사람이 몰리다 보니, 막상 입사해도 월급을 제대로 못 받는다. 많은 젊은이들이 연봉이 적은 것을 감수하고라도 그 회사에 들어가는 것이다.

나의 둘째 딸인 줄리아나가 그 회사에서 1년간 인턴으로 일했는데 "거긴 아빠 회사하고 너무 달라요. 회사는 크지만 인간미가 너무 없어요"라고 말했다. 회사의 명성 때문에 1년을 버티긴 했지만 졸업하면 가고 싶지 않다고 했다.

일단 고객들이 문제가 많았다. 고층 빌딩을 지어 달라고 의뢰하는 고객들은 한결같이 "지금 제일 높은 저 회사보다 높은 건물을 지어 달라"고 요구한다. 일종의 자존심과 경쟁심으로 건물을 짓고 싶어 하는 것이다. 고층 건물의 중심은 창과 건물 모양이지, 사람의 이동에는 별로 관심이 없다.

호텔 건축 공고가 나면 30~40곳의 건축회사가 입찰을 한다. 이렇게 경쟁이 치열하면 낙찰이 되어 공사를 해도 남는 게 별로 없다. 반면에 주차 빌딩 공사 공고가 나면 입찰에 응하는 회사가 많아야 서너 곳이다. 주차 빌딩을 지어 본 경험도 없을뿐더러 할 줄도 모르고 공사 과정에서 손이 많이 가기 때문이다.

필라델피아를 비롯한 이 일대에 30년 전에 내가 최초로 관여한 주차 빌딩을 비롯해서 최근까지 나와 우리 회사가 설계한 주차 빌딩이 대략 1000개쯤 된다. 그중 500개가량은 내가 직접 설계에 참여해서 한 것이고 나머지는 최근에 회사 직원들이 한 것이다.

최근에는 주차 공간에 대한 인식이 바뀌고 빌딩 자체가 멋있어지니까 유명한 건축회사들도 이 분야에 눈을 뜨기 시작했다. 덕분에 입찰할 때 경쟁이 치열해졌다. 하지만 미국은 전문가를 우대하는 사회이고 우리 회사가 이 분야에서는 거의 독보적인 경력이 있기 때문에 아직은 경쟁에서 유리한 편이다.

사람을 섬기는 주차 빌딩, 도시의 랜드마크가 되다

주차장은 미국인들처럼 차를 일상적으로 사용하는 사람들에게는 집만큼이나 중요한 공간이다. 우리는 우리가 짓는 주차 시설을 주차장이라 하지 않고 주차 빌딩이라고 부른다. 빌딩은 단순히 가건물이나 임시 건물이 아닌 오피스 빌딩과 같은 개념이다. 그러므로 당연히 첫째는 밝아야 하고, 둘째는 막힌 데가 없이 훤히 보여야 한다. 건물이 아무리 넓어도 한눈에 건물의 끝에서 끝까지 보여야 한다.

영화를 보면 어두컴컴한 주차장을 배경으로 강도와 살인 사건이 많이 일어난다. 실제로 주차장은 범죄율이 가장 높은 곳

중 하나다. 이런 주차 문화를 바꾸기 위해 우리는 무엇보다 안전에 역점을 두고 밝고 열린 공간으로 설계했다. 시원하게 탁 트인 열린 공간에 지붕도 조금 높게 해서 시야를 넓게 확보하면 저녁때라도 여자들이 마음 놓고 사용할 수 있게 된다. 또 이렇게 밝고 시야가 확보된 곳에는 범죄자가 감히 들어오지 못한다.

또한 넓은 공간인 만큼 이동 거리도 최대한 편리하고 짧게 설계해야 한다. 여자와 아이들, 노인들도 편리하게 이용할 수 있도록 설계해야 하는 것이다.

한편, 주차를 하고 인근의 목적지까지 안전하게 걸어갈 수 있도록 부대시설의 디자인과 공학적 구조도 세심하게 배려한다. 물론 그 지역에 처음 오는 관광객들도 쉽게 사용할 수 있도록 열린 공간과 심플한 구조로 설계한다. 우리가 지은 주차 빌딩에는 이런 디자인과 공학적 요소가 들어가게 된다.

그리고 주변의 건물들과 조화를 이루도록 디자인하는 것도 중요하다. 앰트랙의 주차 빌딩의 경우 주변의 세계적인 건축가가 설계한 빌딩과도 잘 어울린다는 소리를 듣는다.

그런데 주차 빌딩을 해 본 적이 없는 건축회사는 이런 점을 고려하지 않고 주차장 곳곳에 벽을 세운다. 그러면 숨을 곳이 생기고 그런 곳에서 범죄가 일어나게 된다. 우리 회사가 기둥 외에는 어디서든 주차장 전체가 잘 보이도록 설계하는 이유다.

주차 빌딩끼리도 경쟁을 한다. 사람들이 주차 빌딩을 선택할 때는 첫째, 내가 가고자 하는 목적지와 주차 빌딩이 가까운가, 둘째, 밤에도 깨끗하고 안전한가를 기준으로 선택한다. 특히 여자들이 이 점을 매우 중시한다. 점잖은 사람들도 이 점을 중시해서 선택한다. 마치 돈을 더 내더라도 스타벅스 커피를 마시는 것과 같다. 사람들은 사실 커피 맛은 크게 차이가 나지 않지만 분위기 때문에 스타벅스를 찾는다. 주차 빌딩도 마찬가지다.

대개 주차 빌딩은 수천 대의 차를 수용하는 공간이기 때문에 외형적으로 무척이나 큰 건물이다. 자연히 눈에 띌 수밖에 없다. 그런 건물을 사람들이 자꾸만 보고 싶게 만들고 볼 때마다 기분이 좋아지고 영감을 주게 만들면 좋을 것이다. 건물이 크다는 것은 건축가로서는 그만큼 부담스럽지만 동시에 좋은 기회이기도 하다.

공학 구조상으로 볼 때 주차장 설계는 결코 쉽지 않다. 많은 사람들이 간단하다고 생각하는데, 네모난 빌딩에 차를 몇 대 주차할 수 있도록 만들 것인가만 생각하면 간단한 일이 될 수 있다.

그러나 내부 공간까지 고려해서 설계하려면 훨씬 복잡해진다. 예를 들어 주차장 로비는 어떻게 해야 아름다울 수 있는가, 어떻게 해야 최대한 밝을 수 있는가, 벽은 그냥 콘크리트로 할 것인가 아니면 예술적으로 페인팅할 것인가, 건물 외곽은 유리로 할 것인가, 스틸 느낌으로 할 것인가 등 한 번 더 생각하면 주차장 설계는 결코 쉽지 않다.

공항에 가 보면 공항 시설보다 주차 공간이 훨씬 더 넓다. 따라서 주차 공간을 어떻게 디자인하느냐에 따라 공항의 얼굴이 달라진다. 공간을 차지하는 비중이 크기 때문이기도 하지만 사람들이 공항에 들어서서 가장 먼저 가는 곳이 주차 공간이기 때문이다. 그래서 주차 건물은 갈수록 더 중요해질 것이다.

뉴저지주에 있는 애틀랜틱 시티(Atlantic City, NJ)에 세운 주차 빌딩은 외부에서 애틀랜틱으로 들어가는 길목에 있어서 애틀랜틱의 랜드마크가 되었다. 시의 이미지를 쇼핑센터나 문화 유적이 만드는 게 아니라 우리가 세운 주차 빌딩이 결정하는 것이다. 그런 점에서 보면 주차 빌딩의 위상이 정말 많이 변했을 뿐 아니라 중요해졌다. 애틀랜틱 주차 빌딩에는 야간 조명을 설치해서 특히 밤에 디자인적 요소가 부각되어 빛이 난다.

우리는 주차 빌딩을 설계할 때 채광과 통풍에도 신경 써서 사람들이 쇼핑몰이나 자기 집 주차장에 차를 주차하는 것처럼 편안함을 느끼도록 배려한다. 그뿐 아니라 전기차의 배터리를 충전할 수 있는 시설도 두고 신용카드로 결제할 수 있도록 한다. 또한 옥상에 태양열 집열판을 설치해서 친환경 건물을 지향한다.

이런 주차 빌딩이 하나 들어서면 지역이 달라진다. 처음에 건물주나 땅 주인이 주차 빌딩을 만들어 달라고 할 때는 그저 차가 몇 대 들어가는 좋은 건물을 기대한다. 그러나 우리는 주변 건물이나 자연환경과 잘 어울리는 디자인을 찾아내고 지역 주민이나 주변 상권과도 어우러지도록 다양한 기능을 탑재한다. 그러면 고객이 원하는 것보다 훨씬 만족스러운 건물이 탄생하게 된다.

부수적인 효과이기도 하지만 좋은 주차 건물이 들어서면 일자리도 새로 생긴다. 주차 빌딩을 이용하는 사람이 늘어나면 이를 관리하는 직원이 더 필요해지고 건물 주인이나 운영을 대행하는 업체들이 더 많은 고객을 확보하기 위해 생산적인 서비스도 제공하게 된다. 더 많은 사람들의 일자리가 생기는 것이다. 이른바 창조경제의 한 모형이라고 할 수 있다. 또 당연히 주차장에 사람들이 붐비면 인근 지역의 상권이 살아나게 된다.

성경 말씀대로

어려운 이들을 섬기고 도우면

하나님께서 은혜로

우리의 삶을 인도하신다.

Centennial District Intermodal Center

at the Philadelphia Zoo - Philadelphia, PA

Part 4

하나님이 일하시는 기업 만들기

비즈니스에서 하나님의 주권을 인정하라

여호수아서 13장 이하에 보면 하나님께서 이스라엘 백성을 안타깝게 바라보시는 장면이 나온다. 당시 이스라엘 백성은 아이 성과 여리고 성 몇 개만 정복한 다음 여호수아만 믿고 그 옆에 옹기종기 붙어 살아가고 있었다. 그때 하나님은 통탄하시듯 여호수아에게 이렇게 말씀하신다.

> 여호수아가 나이가 많아 늙으매 여호와께서 그에게 이르시되 너는 나이가 많아 늙었고 얻을 땅이 매우 많이 남아 있도다… 내가 그들을 이스라엘 자손 앞에서 쫓아내리니 너는 내가 명

령한 대로 그 땅을 이스라엘에게 분배하여 기업이 되게 하되 (수 13:1, 6).

천지를 창조하신 주님께서 인간에게 가장 먼저 주신 명령은 '생육하고 번성하며 이 땅을 정복하라'는 것이었다. 당신의 백성을 출애굽시킨 뒤에 명령하신 것도 땅을 정복하는 것이었다. 오늘날 우리에게도 하나님은 같은 명령을 하고 계신다.

6절에서 '기업'이란 지역이자 동시에 영역이다. 하나님은 우리를 세상의 모든 지역, 모든 영역에 들어가도록 하신다. 그곳에 주님의 말씀과 복음을 심기를 원하신다. 그것이 바로 믿음이 있는 비즈니스맨들의 삶이다.

이때 가장 중요한 것은, 어디서 어떤 일을 하든 하나님이 우리에게 원하시는 것은 단 하나, 늘 주님과 동행하는 것이다. 주일만, 기도할 때만 동행하는 게 아니라 24시간, 내 평생의 모든 순간에 동행하는 것을 말한다.

우리는 흔히 비즈니스할 때만큼은 하나님과 동행하기 매우 어렵다고 말한다. 믿음이 좋은 분조차도 비즈니스와 그리스도인의 삶을 분리하는 경향이 있다. 그러나 하나님식으로 비즈니스를 하면 회사가 곧 교회가 되고 사업이 곧 사역이 된다. 따라서 비즈니스맨이 어떤 태도와 마음으로 비즈니스를 하는가에 달린 것이지 비즈니스 자체가 세상적인 영역은 아니다.

물론 하나님과 동행하며 사업하려면 매 순간 치열하게 싸워야 하고 자기 희생이 필요하다. 나 역시 같이 동역하고 싶은 사람이 있는가 하면 그렇지 않은 사람도 있다. 그럴 때 나는 "하나님, 늘 부족한 저이지만 주님의 은혜를 받은 사람이 되기를 원합니다"라고 기도한다. 나의 부족함을 인정하고 모든 과정에 주님의 주권을 인정하는 것이다.

내가 뭔가를 할 수 있는 것은 온전히 하나님의 은혜다. 하나님께서 나를 선택하시고 좋게 보시고 사랑하며 축복하시기 때문에 내가 앞으로 나아갈 수 있는 것이다. 그래서 나는 성경 속 하나님의 사람들이 어떤 은혜를 받았는지 그래서 그들의 삶이 어떠했는지를 늘 묵상하려고 애쓴다. 그리고 나도 그들처럼 은혜받은 자로서 살아가기를 늘 반복해서 기도한다.

"하나님. 제가 하나님께 은혜를 입었다면, 제가 하는 일을 살펴보시고 제가 하는 일이 주님 보시기에 합당하면 나아갈 길을 인도해 주십시오."

모세가 이집트에서 이스라엘 민족을 이끌고 나올 때 모세 자신이 좋아서 한 일이 아니다. 하나님께서 그를 그 길로 인도하신 것이다. 죽임을 당할 운명에서 바로 공주의 아들이 되게 하여 살리시고, 살인자 낙인이 찍혀 죽을 뻔한 위기에서 광야로

길을 내어 피신시키시고, 때가 되자 그를 이스라엘 민족의 지도자로 세우셨다. 모세도 자신에게 허락하신 그 삶에 순종하여 앞으로 나아갔다. 하나님이 하신 줄 알기 때문에 자신이 원한 삶은 아니었지만 그대로 따라갔던 것이다. 그러자 하나님께서 은혜를 베푸시고 길을 열어 보여 주셨다. 모세는 하나님이 베푸시는 은혜의 길을 따라간 사람이다. 에스더, 욥, 다니엘도 그 은혜를 구했다.

은혜란 자격이 있어서 받는 게 아니다. 받을 자격이 없는데도 받는 것이 은혜다.

사람들은 내가 이렇게 큰 기업을 운영하니까 내가 어떤 강한 신념을 가지고 사업을 하는 줄 아는데 사실은 정반대다. 나는 사실 내 생각이 없다. 매 순간 주님의 은혜를 구하는 것밖에는 내가 할 수 있는 게 없기 때문이다.

친구들은 내게 "너는 거절을 잘 못한다"고도 하고 "불필요한 남의 짐을 대신 진다"고도 말한다. 하지만 나는 그렇게 생각하지 않는다. 그것은 내가 지는 게 아니다. 나는 하나님의 마음으로 그걸 지겠다고 말할 뿐, 실제로 그 짐을 지는 분은 하나님이시다. 그 사실을 믿고 가장 좋은 때에 가장 좋은 것으로 필요한 모든 것을 공급하실 것을 알기 때문에 그런 결정을 할 수 있는 것이다.

나는 내 욕망을 위해, 내 출세를 위해 고객과 관계를 맺지 않는다. 오히려 나를 비우고 내가 손해 보는 쪽을 선택하며 고객과 관계를 맺는다. 그것이 이웃을 먼저 섬기는 하나님의 기업이 품어야 할 하나님의 마음이기 때문이다.

소명을 붙들 때 은사도 빛난다

요즘 젊은이들 사이에서 은사(spiritual gift)에 대한 관심이 높은 것 같다. 그래서 피아노에 은사가 있는 사람은 피아노로 하나님께 영광을 돌린다고 생각한다. 그런데 하나님은 종종 그에게 피아노를 포기하고 그냥 평범한 목회자가 되라고 하신다. 그러면 '은사는 뭔가요?' 하는 의문과 함께 믿음이 흔들리고 하나님에 대해 마음이 어려워진다.

하나님은 우리의 은사를 사용하실 수도 있고 사용하지 않으실 수도 있다. 우리는 열정을 가지고 나가야 한다고 생각하지만 사실 그보다 더 중요한 것은 하나님이 나에게 하시고자 하는 것이 무엇인가이다. 그것을 찾는 것이 더 중요하고 우선적이다.

예를 들어 베드로는 어부였다. 다들 그렇게 말하지만 나는 다른 시각으로 본다. 그는 직책이 어부였지만 고기 잡는 것에 은사가 있었던 사람이 아니라 잡는 것(catch)에 은사가 있었던 사람이다. 그는 예수님을 처음 만났을 때도 이 'catch'의 은사를 놓고 주도권 싸움을 했다. 그러다가 자기가 그물을 던진 방향이 아닌 예수님이 던지라 하신 곳에서 많은 고기를 잡자 그는 비로소 '나는 죄인'이라고 고백하며 예수님을 따랐다. 그는 고기가 아닌 예수님을 '잡았고' 예수님은 그때 '사람을 낚는(잡는) 사람'이 되라고 그의 '잡는' 은사의 정체성을 확인시켜 주셨다.

만일 베드로가 사막에 있었다면 뱀이나 전갈을 잡는 명수가 되었을 것이다. 산에서 살았다면 에서를 능가하는 사슴 사냥꾼이 되었을지도 모른다. 그에겐 그런 '잡는' 은사가 있었다. 그가 어부가 된 것은 갈릴리 호숫가에 살았기 때문이다.

모든 사람에게는 그런 은사가 있다. 하지만 이 은사를 자기 마음대로 해석하고 열심히 달려가면 실패한다. 많은 경우, 실패하고 나서야 베드로처럼 하나님의 은혜로 자기가 가진 은사의 정체성을 깨닫게 된다.

이런 실수를 줄이려면 먼저 우리의 사고방식을 바꾸어야 한다. 은사를 명사가 아니라 동사로 표현하는 것이다. 예를 들어 베드로를 어부라고 부르는 게 아니라 잡는 사람이라고 부르는 것이다. 흔히 아이들은 "커서 뭐가 될래?" 하고 물으면 "의사가 될래요", "음악가가 될래요" 하고 대답한다. 의사, 음악가라는 대상을 생각하면서 꿈을 키우는 것이다.

만일 그런 아이들에게 우리가 "너는 치료하는 사람이 되고 싶구나" 하거나 "너는 사람들에게 영감을 주고 싶구나" 하고 말하면 아이들은 같은 의사가 되고 같은 음악가가 되어도 진심으로 사람의 병을 치료하기 위해 애쓰는 의사가 되고 사람들의 마음을 공감하고 감동을 주기 위해 애쓰는 음악가가 된다.

더 나아가 사람을 치료하는 일은 의사뿐만 아니라 선교사나 목회자도 할 수 있다. 은사를 명사가 아닌 동사, 즉 행동으로 바라보고 표현할 때 더 넓은 선택을 할 수 있고 다양한 길을 볼 수 있다.

특히 요즘처럼 청년 실업이 많은 때라면 믿음의 젊은이들이 갈등과 고민이 많을 것이다. 하나님 나라에 크게 쓰임 받고 싶은 마음에 열심히 공부해서 명문대를 나오고 스펙도 많이 쌓았는데 도무지 자기가 가고 싶어 하는 데에선 오라는 데가 없다. 하나님은 내 인생에는 도무지 관심이 없는 것처럼 느껴지고, 어느 날 갑자기 건강까지 무너지거나 아버지 사업이 망해서 감당키 어려운 시련까지 겹친다.

그런 과정을 거쳐 하나님은 나를 낯선 곳으로 인도하신다. 그 방향으로 바람이 분다. 그 지점에서 믿음이 있는 자와 없는

자가 갈린다. 내 앞에 닥친 시련을 하나님이 나를 축복하기 위해 펼쳐 놓으신 에덴동산이라고 믿는 사람은 그 흐름에 자신을 맡긴다. 마치 여호수아 군대가 요단강을 건너가는 것과 같다.

물리를 전공해서 박사학위까지 받았으나 직장이 없다면 그 흐르는 물에 몸을 싣고 가는 것이다. 이름도 없는 청소회사에 들어가서 쓰레기를 처리하면서 사람들을 섬길 수도 있다. 그러나 경영자를 섬기고 고객을 섬기다 보면 그곳에서 새로운 문이 열린다. 청소회사 사장의 신뢰를 받고 고객의 인정을 받아서 새로운 문이 열려 달려왔더니 그 길이 바로 자신이 원하던 길임을 나중에 깨닫게 된다. 하나님이 우리 안에 심어 놓으신 은사는 바로 그때부터 빛을 발하기 시작한다.

창조력은 허무맹랑한 공상에서 비롯되는 게 아니다. 아주 실질적이고 경제적인 것에서 창조력은 빛을 발한다. 일부 소수의 구미에만 맞추는 것은 공허한 외침으로 끝나지만 많은 사람들에게 유익을 줄 수 있는 아이디어는 하나님의 은혜 가운데 큰 축복으로 변한다.

국립건축과학원 이사 선임 건으로 연방정부의 청문회에 갔을 때, 내게 무슨 일에 열정이 있느냐고 묻기에 나는 '조직 능력'이라고 대답했다. 정확히는 "나에게 주신 조직력의 은사로 하나님 나라를 만들고 싶다"고 대답했다.

나는 그것이 나에게 주신 은사라고 생각한다.

젊은 시절 직장생활을 할 때 상당히 큰 건물을 짓는 프로젝트를 담당하게 되었다. 설계부터 공사까지 다 해야 했기 때문에 정말 복잡했다. 건물 하나를 지으려면 몇 만 개의 부품이 들어가는데 그것을 일일이 선택해서 결정해야 했다. 그런데 나는 그런 일을 즐기기도 하거니와 쉽게 해내는 능력이 있었다.

언젠가 내가 "올림픽 코디네이터가 되고 싶다"고 말했다가 주변 사람들이 아연실색한 적이 있다. 그들은 하나같이 "왜 그렇게 복잡한 조직에서 일하고 싶어 하느냐"고 물었다. 모두들 나를 비정상으로 보는 듯한 눈빛을 보냈으나 나는 진심이었다. 하나님은 나를 그런 일을 좋아하도록 만드신 것이다.

사실 나는 대학에서 건축을 공부하고 자격증이 있어서 이 일을 하게 되었지만, 만일 타고난 재능만 발휘할 수 있다면 어느 분야에서 일을 하든 만족하며 살았을 것이다.

이처럼 우리는 우리가 '무엇인가가 되기를 원한다'고 생각하지만 실제로는 '무슨 일을 하고 싶어 한다'. '되는 것'은 눈에 보이는 세상적 피사체이지만 '하는 것'은 하나님이 내 안에 심어 놓으신 진짜 능력이다. 그런데 우리는 이것을 종종 혼동해서 혼란에 빠지곤 한다.

은사는 '되는 것'이 아니라 '하는 것'이어야 한다. 그래야 의사가 되고 싶던 사람이 하나님께서 선교사나 목회자로 부르실 때도 그 뜻을 잘 이해하고 순종할 수 있게 된다.

회사는 직원을
'나의 이웃으로' 섬기는 도구다

우리 아이들이 고등학교에 다닐 때 내가 이렇게 물은 적이 있다.

"만일 내일 학교 시험이 있는데 열심히 공부하면 A를 받을 수 있지만 그렇지 않으면 C를 받을 가능성이 높아. 그래서 공부를 하려고 하는데 친구에게서 전화가 왔어. 매우 다급한 상황이었어. 그 친구의 부모님이 부부 싸움을 해서 아버지는 이혼하겠다고 나가 버리고 어머니는 상처를 받아 집을 나갔다고 해. 그러면서 친구가 서럽게 울어. 그럴 때 너희는 어떻게 할래?"

첫째 딸 크리스티는 가서 위로해 주어야 한다고 대답했고 고2인 둘째는 공부를 해야 한다고 대답했다. 그래서 나는 이렇게 이야기해 주었다.

"그런 경우가 생길 때는 꼭 희생을 해. C를 받아도 괜찮아. 왜냐하면 한두 번 시험 잘못 봤다고 해서 그것으로 인생이 잘못되지는 않아. 그리고 우리는 하나님을 믿는 사람이기 때문에 친구를 위해서 자기 시간을 희생할 수 있어야 해. 하나님이 그것을 매우 귀하게 보실 거야. 또 그 친구를 위해 시간을 희생하는 것은 단순한 희생이 아니야. 그 친구가 나중에 어려움을 극복하고 너보다 더 성공한다면 훗날에 너에게 큰 도움이 될 수도 있어. 그렇게 사람은 서로 돕고 사는 거야. 정말 필요한 사람은 공부 잘하고 실력 있는 사람이 아니라 자기가 좋아하고 믿는 사람이야."

아이들은 내 말을 이해했는지 실제로 자기 자신을 희생하며 살고자 노력한다. 우리 집에는 손님이 많이 온다. 그때마다 아이들은 스스럼없이 자기 방을 손님에게 비워 주고 자매끼리 함께 방을 쓰거나 학교 기숙사에 있는 친구와 지내기도 한다. 아이들이 그렇게 자라는 것이 내게는 더없이 감사하다.

하나님이 우리에게 주신 가장 가까운 이웃은 직장 동료나

학교 친구들이다. 그런데 최근에는 이웃으로 주신 그들을 경쟁 상대로 보는 것 같다. 직장이나 학교가 가정 같아야 하는데 서로 죽이고 죽는 전쟁터가 된 것이다. 다른 사람의 고통과 단점과 실수가 내 성공과 이익의 발판이 되는 슬픈 현실이다.

우리 회사 직원들의 가장 놀라운 점 중 하나는 서로를 가족처럼 섬긴다는 것이다. 미국에서는 옆 사람이 며칠 밤을 새워 일해도 나와 상관없으면 그냥 가 버린다. 하지만 우리 회사에서는 옆 사람이 바쁘면 그를 도와서 가능한 한 그가 밤을 새우지 않고 늦게라도 집에 갈 수 있도록 돕는다.

우리가 이렇게 한마음일 수 있는 것은, '남을 돕기 위해 존재한다'는 핵심 가치를 공유하고 존중하기 때문이다. 그런 까닭에 우리는 아무리 실력자라도 이 가치에 동의하지 않으면 채용할 수 없다. 그래서 우리 회사 면접은 상당히 긴 시간이 소요된다. 그가 이 가치에 동의하는지 아닌지를 알려면 상당히 심층적인 인터뷰를 해야 하기 때문이다. 능력이 조금 부족해도 마음이 같으면 일을 가르쳐서 좋은 가족이 될 수 있다. 우리 회사는 능력보다는 서로를 돕고 나눌 수 있는 성품을 더 중시 여기며, 일단 우리 가족이 되면 진짜 가족처럼 돕고 보살핀다.

물론 우리라고 문제가 없는 것은 아니다. 나만 해도 한창 사업을 확장하는 중에 두 번째 이식수술을 해야 해서 거의 6개월이나 자리를 비웠다. 경영자로서 큰 민폐를 끼친 것이다. 이처럼 직원들도 크고 작은 개인사로 인해 동료들에게 짐이 되기도 한다. 하지만 우리는 한마음으로 그의 빈자리를 채우면서 함께 나누기 위해 최선을 다한다.

조너선 시슬러(Jonathan Shisler)라는 직원이 오래전에 큰 사고를 당했다. 오토바이를 타고 가다가 큰 홀에 빠지는 바람에 바퀴에 펑크가 나서 오토바이가 완전히 뒤집히는 큰 사고를 당한 것이다. 그때 다쳐서 그의 양쪽 다리에는 핀이 몇 개 박혀 있다. 나는 그 소식을 듣자마자 병원으로 달려가 그를 위해 기도해 주었다. 그때 그의 부모님이 크게 감동을 받은 모양이었다. 그가 집에서 회복 중일 때도 우리 직원들이 방문하여 격려해 줬다.

우리의 관심과 사랑 속에서 조너선은 1년 뒤에 다시 회사에 돌아올 수 있었고 누구보다 동료와 회사를 사랑하는 사람이 되었다. 요즘 그는 아침이면 딸과 함께 회사에 출근한다. 딸은 회사에 딸린 어린이집에 들여보내고 자신은 사무실에서 일하는 것이다.

한번은 마이애미에 있는 책임자가 일하다 분에 못 이겨 욕설과 폭언을 잔뜩 쓴 이메일을 회사 내부용 인터넷을 통해 전 직원에게 보낸 일이 있다. 내가 그 메일을 확인한 것이 밤 11시였다. 깜짝 놀라서 일단 IT 담당직원을 불러 다 지우게 했다. 그래서 메일이 도착한 지 10분 만에 삭제되긴 했으나 이미 수신자의 절반이 그 메일을 확인한 상태였다.

나는 일단 그에게 시간을 주었다. 그리고 닷새 후 비행기를 타고 가서 그와 식당에서 마주앉아 그 상황에 적합한 성경 말씀을 읽어 주었다. 그제야 그는 자기가 한 행동이 옳지 않았음을 깨닫고 눈물을 흘렸다. 나는 괜찮다고 위로한 뒤 기도해 주고는 비행장까지 데려다 달라고 부탁했다. 그는 그때까지도 내가 그를 위해 말씀을 읽고 기도해 주러 일부러 거기까지 왔다는 사실을 몰랐는지 깜짝 놀랐다. 그는 내가 다른 볼일을 보러 왔다가 자기를 만났다고 생각한 것이다. 그런 그에게 나는 "내가 아무리 바빠도 나에겐 당신이 더 중요하다"고 말해 주었다. 그 일이 있은 뒤, 그는 천사처럼 순해져서 일에 전념하게 되었다.

사람들은 이런 과정을 거치며 자신의 힘을 어떻게 써야 하는지, 어떤 선택을 해야 하는지를 알게 된다. 만일 내가 그의 경솔한 행동을 질책하고 문책했다면 그의 행동은 개선되지 않았을 것이다. 이후로도 똑같은 실수를 반복했을지도 모른다. 행동은 개선되지 않은 채 마음에 상처만 남게 되는 것이다. 말씀 앞에 자신을 비추어 보고 스스로 잘못을 깨닫게 하는 것이 중요하다. 그리고 동시에 주변 동료들이 그를 위로하고 격려하여 부끄러움을 잊고 자기 일에 전념할 수 있도록 돕는 것이 필요하다.

샘 번연(Sam Bunyan)은 우리 회사의 부사장이었다. 그는 나와 나이가 비슷한 인도 사람으로 내가 전에 다니던 회사의 부사장이었다. 보수공사와 관련된 책을 쓸 만큼 아는 것도 많았는데 이혼하고 해고까지 당한 뒤 나와 연락이 닿았다. 당시 샘은 음주로 인해 심장이 나빠져서 나처럼 심장이식수술을 한 직후였다. 건강이 나빠지니 옛날 같은 열정은 없었지만 당시 우리 회사에는 보수공사와 관련해서 처리할 일들이 많았다. 새롭게 공사를 하고 나면 5~10년 뒤에는 보수공사를 해 주어야 하는데 그에 대한 구체적인 대책이 필요했다. 그래서 샘에게 그 일을 맡겼다.

그러던 어느 날 샘이 내게 큰돈을 빌려 달라고 했다. 알고 보니 도박을 했던 것이다. 안타까운 마음에 그를 위해 기도했는데 놀랍게도 응답하셨다. 샘이 도박중독에서 벗어나고 싶다면서 자처해서 성경 공부를 같이하고 싶다고 한 것이다. 그러더니 성경 공부 두세 번 만에 눈물을 흘리며 하나님을 믿고 예수님을 구주로 영접하겠다고 고백했다. 이후 자녀들이 보고 싶다고 해서 미시간 주에 있는 집으로 보내 주었는데 일주일이 지나도록 돌아오지 않았다. 한 열흘쯤 지나서 그의 아들에게서 연락이 왔다. 그가 심장마비로 세상을 떠났다는 것이었다. 자녀들은 그가 도박을 하느라 돈이 없어서 수술 후 약을 제대로 챙겨 먹지 않은 것 같다고 했다.

그의 갑작스런 죽음은 너무도 큰 충격이었다. 하지만 감사한 것은, 그가 죽기 전에 예수님을 영접했다는 것이고, 내가 직접 그의 장례식을 주관하면서 회사의 고객과 파트너들에게 그가 죽기 전에 예수님을 영접했음을 증거할 수 있었다는 것이다. 더구나 세상을 뜨기 전에 아내를 찾아가 용서를 구하고 관계를 회복했다고 하니 정말 감사했다. 그는 다행히도 우리 회사에 있으면서 삶을 정리하고 하나님 곁으로 간 것이다.

사람들은 나에게 그렇게 큰 기업을 운영하면서 어떻게 일일이 사람들에게 신경을 쓸 수 있느냐고 묻는다. 그러나 나에게 이웃을 돕는 일은 그 어떤 것보다 중요한 것이다. 그것이 성경의 가르침이기 때문이다. 출근을 하면 나도 할 일이 많아서 무척 바쁘다. 하지만 직원들이 나를 찾아올 때는 단지 커피 마시며 놀자고 오는 것이 아니다. 뭔가 중요하고 긴밀한 일이 있어서 찾아오는 것이다. 내가 직원들을 일대일로 만나 그들의 이야기를 들어주면 그들은 더 신이 나서 일을 한다. 자신의 생각이 묵살되지 않고 수용되는 것을 알면 더 좋은 아이디어가 생기고 일도 더 열정적으로 하게 된다.

나는 작은 일이지만 매사에 어려운 이웃을 섬기라는 성경 말씀을 실천하려고 노력한다. 말로는 사람을 위해서 설계한다면서 막상 내 주변 사람들이 나를 필요로 할 때 "얘기할 시간 없는데…"라고 말하는 것은 모순이다. 사실 마주앉아도 그리 오랜 시간이 걸리는 것이 아니다. 많이 걸려야 10~20분인데 그 시간만큼 퇴근을 늦게 하면 될 일이다.

하나님의 바람을 타는 것이 전략이다

감사하게도 그동안 나와 우리 회사는 미국 건축업계와 미국 사회로부터 많은 칭찬과 과분한 상을 받았다. 그중에는 펜실베이니아 주에서 개최한 '가장 일하고 싶은 100대 기업상'이 있다. 이 상은 협회나 회사, 언론이 주는 상이 아니라 회사에서 일하고 있는 직원들이 뽑는 상이다. 이 상을 주는 기관에서 건축업계에서 일하는 직원들에게 50개 정도의 설문을 통해 조사를 한 뒤 회사를 선발한다. 결과가 나오면 상을 주관하는 곳에서 선발된 회사로 직접 현장 조사를 나온다. 그래서 막상 수상자 후보로 결정되어도 이 상을 거절하는 회사가 많다. 아무리 평판이 좋게 나도 내부에서 일하는 직원들은 회사에 어떤 문제가 있는지, 오너와 직원 간의 어떤 문제가 있는지를 잘 알기 때문이다. 하지만 나는 직원들의 사기를 높이기 위해서라도, 또 이번 기회에 우리도 몰랐던 문제가 있었다면 고치기 위해서라도 현장 조사에 응했다. 그들은 정말 심도 있게 조사를 진행했고 그 결과 상을 받게 되었다.

이 상이 자랑스러운 또 한 가지 이유는 우리의 경영 철학인 성경 말씀을 사람들이 좋아하고 인정해 주었기 때문이다. 단순히 우리만 칭찬받는 게 아니라 하나님의 말씀 또한 아름답다고 인정받아서 더 좋았다.

사람들은 내게 '회사를 시작할 때 어떤 전략이 있었느냐'고 묻는다. 나의 대답은 간단하다. 물론 관련 전문 지식을 언급하며 대답할 수도 있지만 나는 심장이식수술을 하기 전 6개월 동안 성경을 읽으며 내 머릿속 지식을 쌓는 모든 책을 치웠다. 그리고 잠언 31장에 집중했더니 지혜가 샘솟았다. 그래서 나의 대답은 언제나 'My plan is no plan'이다.

나는 늘 하나님이 시키는 대로 순종하며 바람을 타기 위해 최선을 다한다. 그래서 나는 항상 내 몸에 날개를 달아 놓고 하나님의 바람을 타기 위해 대기한다. 바람을 탄다는 것은 하나님께 받은 계획을 가지고 하나님이 원하시는 방향으로 날아가는 것이다. 그곳에 어마어마한 복이 있다.

언젠가 한국의 한 대학에서 교수로 초빙하고 싶다는 제안이 들어왔다. 1년에 두세 번만 강단에 서면 된다고 하니 어려울 것도 없었다. 게다가 그 대학은 성경을 기초로 하고 있어서 내가 성경적으로 사업한 과정을 학생들에게 소개할 수 있었다. 그래서 바람을 타듯이 강의하러 다녔다.

오바마 대통령의 지명으로 승인된 국립건축과학원 이사 활동도 1년 정도 했는데 하나님이 허락하시면 이보다 더 큰 바람을 탈 수도 있을 것 같다. 이렇게 하나님의 바람을 타면 뜻하지 않던 여러 가지 일이 생긴다. 하나님이 나를 그곳에 서게 하시고 나를 통해 놀라운 일들을 행하신다. 실제로 국립건축과학원 이사가 되는 과정에서도 그런 일이 있었다.

국립건축과학원 이사 승인 절차를 밟고 있던 기간에 국립건축과학원 원장이 나를 저녁식사에 초대했다. 그곳에서 수백 명의 미국 건축업계 인사들의 환영을 받았는데 식사를 시작하기 전에 원장이 단상에 올라가더니 "내가 지금 이걸 하지 않으면 돌아가신 우리 아버지가 안 좋아하실 것 같은데 해도 되겠느냐"고 말했다. 모두 그러라고 하자 그는 "내 아버지가 침례교 목사님이셨는데 지금 식사 기도를 하고 밥을 먹어야 할 것 같다"고 했고, 모두 고개를 숙이고 기도했다. 전에 없던 일이었다. 믿음을 행동에 옮긴 그에게 탄복하고 있는데 단상에서 내려온 그가 나에게 말했다.

"당신이 있어서 용기를 내어 행동에 옮겼습니다."

정말 뜻밖의 사건이었지만 그 일은 나에게 국립건축과학원으로 인도하신 분이 하나님이심을, 그리고 내가 있는 그 자리에서 성령님이 일하고 계심을 확신시켜 주었다. 하나님의 바람을 타면 늘 이렇게 기적 같은 일들이 일어난다.

성공과 축복은 희생과 정직이라는 징검다리를 통해서 온다

그런데 하나님의 축복을 받기 위해선 희생이라는 다리를 건너야 한다. 나는 설교를 할 때도 희생의 중요성에 대해서 종종 설명한다. 축복과 승리는 희생을 전제로 한다. 예수님께서 희생하셨기 때문에 우리가 은혜를 누리고 복을 받는다. 자유와 민주주의를 위해 희생한 많은 사람들이 없었다면 우리는 지금도 엄격한 신분제 사회에서 살아갈런지도 모른다. 그들의 희생이 있었기에 우리가 누릴 수 있는 것이다.

하나님이 기뻐하시는 진정한 희생이라면 믿지 않는 사람에게도 진심이 전달된다. 성령님이 그 마음을 열어 주시기 때문이다. 고객은 진짜 천차만별이다. 적은 예산을 들고 와 세상에서 제일 아름다운 주차장을 요구하는 고객도 있고, 4000시간 규모로 시작한 일이 7500시간이 들어가는 경우도 있다. 이럴 경우 손해가 막대하다. 그래도 일하는 중에는 불평하지 않는다. 일단 계약을 하고 나면 일을 잘 끝내어 고객이 만족하면 그만이다. 그러면 그들은 거의 100퍼센트 다음 프로젝트를 들고 찾아온다. 그때는 일한 만큼 보상을 받으며 즐겁게 일할 수 있다. 희생이란 당장은 손해지만 길게 보면 신뢰를 얻는 열쇠이고 축복의 통로다.

한 대학에서 1000~1500대 규모의 주차 빌딩 설계를 맡은 적이 있다. 설계를 다하고 기초 공사를 하고 있는데 전화가 왔다. 우리가 기초 공사를 하는 그 자리에 보일러관이 지나간다는 것이다. 그 파이프는 굉장히 튼튼하고 뜨겁다. 설치 비용이 엄청나게 많이 드는 시설이다. 그러자 고객이 나를 부르더니 우리 잘못이라고 책임을 전가했다. 설계 전에 미리 땅 밑으로 뭐가 지나가는지 알아야 하는 것 아니냐고 따지고 들었다.

당연한 말이다. 그리고 사실은 설계할 때 그게 지나간다는 말을 들은 것도 같았다. 다만 그것이 오래되어 다시 설치할 것이라는 말과 함께 들은 것 같았다. 하지만 아무도 그렇게 말한 적이 없다고 잡아뗐다.

정말 난감했다. 하지만 나의 실수도 있어서 그 점을 인정했다. 그러자 그 대학에서 20년 넘게 있었던 사람이 "건축을 할 때마다 대학과 건축회사가 싸움을 하는데 지금까지 자기 잘못을 인정하는 회사는 없었다. 더구나 당신처럼 '내 실수다'라고 먼저 말하는 사람은 처음 본다"면서 "이 회사에 일을 맡겨야 한다"고 동료들을 설득했다. 이후 그 대학은 모든 공사를 우리에게 맡긴다.

만일 내가 그 사실을 몰랐다고 끝까지 거짓말을 했다면 그때 맡은 공사는 어떻게든 끝냈겠지만 그들과 다시 만날 일은 없었을 것이다. 정직하게 일하면 잠언 31장처럼 고객은 우리를 믿는다. 우리가 먼저 죽으니까 살아나는 역사들이 일어난다. 그래서 나는 직원들에게 어떤 상황에서도 정직해야 한다고 강조한다.

이와 함께 고객의 꿈을 이루어 주는 회사가 되어야 한다. 우리 주변에는 두 부류의 사람이 있다. 하나는 언제나 뭔가를 함께하고 싶은 사람이고, 다른 하나는 언제나 자기가 하고 싶은 것을 해 달라는 사람이다. 고객에게 후자인 회사들이 많다. "우리는 이게 전문이다"면서 고객을 자꾸만 자기가 원하는 대로 끌고 가려는 것이다. 자신의 전문 지식으로는 그것이 최선이기 때문이다.

하지만 거액을 들여 빌딩을 세우려는 사람들에겐 그럴 만한 이유가 있다. 바로 꿈이다. 그런데 그걸 무시하는 건축가들이 상당히 많다.

고객은 비록 건축가는 아니지만 꿈이 있다. 그러면 건축가는 그 꿈을 이루어 주는 사람이 되어야 한다. 나는 언제나 "왜 이런 건물을 지으려고 하느냐"고 묻는다. 고객의 의견을 존중하기 위해서다. 그러면 그는 신명나게 자기의 꿈을 이야기한다. 그의 이야기를 다 듣고 나서 나는 그의 꿈을 이루기 위해 필요한 다양한 방법들을 제시한다. 만일 그가 허락하면 그중에 최선의 방법을 알려 준다. 그가 그의 꿈을 더 풍성하게 이루도록 도와주는 것이다.

공동체 정신이 없는 개인의 성공은 없다

운동에는 개인이 하는 운동과 팀으로 하는 운동이 있다. 이 두 종류의 운동을 코치하는 사람을 보면 완전히 다른 것을 발견하게 된다. 개인 운동의 코치는 "네가 잘해야지" 하고 말한다. 온 신경이 그 사람에게만 집중되어 있다. 반면에 팀 운동의 코치는 "네가 잘하면 우리가 잘된다"라고 말한다. 방향이 팀을 향해 있다.

그래서 '어떤 일을 잘하면 너에게 이윤을 준다'는 식의 보상은 그 사람의 노력만으로 성과가 있었다고 인정하는 것이기 때문에 잘못된 방법이다. 개인을 강조하다 보면 불협화음이 생긴다.

많은 회사가 인센티브를 이용한다. 그것이 가져오는 결과가 수치상으로 엄청나기 때문이다. 하지만 우리 회사는 인센티브로 돈을 주지 않는다. 우리는 돈이 생기면 어려운 사람을 돕는다. 그렇다고 돈을 안 주는 것도 아니다. 잠언 31장에 나온 것처럼 그 가족을 돌보기 위해서 준다. 이것들이 장기적으로 보았을 때 더 풍성할 수 있는 방법이다.

중요한 것은 '큰 목적'에 집중하는 것이다. 우리 회사의 '큰 목적'은 어려운 이웃을 돕는 것이다. 이것에 집중하지 않으면 나도 회사의 이윤을 더 남기기 위해 인센티브 같은 잘못된 방법을 사용할 수 있다. 이런 기업 분위기를 못 견뎌 하는 사람들은 결국 회사를 나가게 된다. 하지만 이런 기업 분위기를 좋아해서 구성원이 되기를 원하는 사람들이 의외로 많다.

톰 보드킨은 ROTC 출신의 엔지니어다. 그는 애국심이 남달라서 이라크 사태가 나자 참전하겠다고 휴직을 냈다. 모두가 미친 짓이라고 만류했지만, 국가라는 공동체의 중요성을 알고 그를 위해 즉각적으로 희생하는 모습만큼은 정말 놀라웠다. 그는 대학 시절에도 자원해서 공병대원으로 복무했는데 이번에도 같은 보직으로 1년 동안 참전한 것이다. 총을 들고 전장에 나가는 군인은 아니어서 무사히 복무 기간을 마치고 회사로 복귀했다.

앤디 최라는 교포는 15년 전에 취업 비자로 미국에 온 우리 회사 직원이다. 그는 한국에서 건축학을 전공하고 건축 설계 회사에 들어갔는데 회사는 그에게 설계보다는 개인적인 심부름만 시켰고, 상사들은 상습적으로 뇌물을 주고받았다. 아무리 봐도 성경적이지 않아서 회사를 그만둔 그는 마침 필라델피아의 아는 목사님으로부터 우리 회사 얘기를 듣고 지원했다. 때마침 내가 자리를 비운 터라 아내가 면접을 봤는데 좀 부족한 게 많아서 돌려보냈다. 그런데 다음 날 아침 출근해 보니 그가 회사 앞에 와 있었다. 며칠 후에도 다시 회사를 찾아왔다. 나는 그를 보면서 엑스트라 마일을 떠올렸다. 미국에서는 한번 'NO' 하면 다시 찾아가지 않는다. 그런데 그는 부끄러움을 무릅쓰고 자기가 일하고 싶은 공동체에 들어가기 위해 삼고초려를 하고 있었다.

나는 비자 문제 때문에 일하는 게 남들보다 힘들긴 하겠지만 한번 일을 해보라고 기회를 주었다. 그런데 그가 얼마나 일을 열심히 하던지 회사가 바쁠 때 그의 덕을 많이 보았다. 드라마 〈허준〉에 나오는 허준처럼 열심히 일하겠다고 하더니 자기 말을 지켰다. 그렇게 열정적으로 일하더니 5년 전에 우리 회사를 떠나 애틀랜타로 가서 친구와 사업을 하고 있다.

우리 직원들은 상당수가 스스로 알아서 필요할 때는 밤늦게까지 일을 한다. 고객을 최선으로 섬기고 회사를 섬기는 것이 자신의 성공과 직결된다는 것을 아는 지혜로운 이들이다. 그런 태도로 일하면 회사도 성장하지만 개인도 빠르게 성장한다.

관계의 비결,
결정적 순간을 활용하라

미국의 부모들은 아이들로 인해 무척이나 바쁘다. 아이가 어딜 가든 차에 태워서 데리고 다녀야 하기 때문이다. 미국은 학교 공부만큼이나 스포츠, 문화 활동을 중요시하기 때문에 야구, 크리켓, 수영, 축구교실 등에 데리고 다니느라 정신이 없다. 저녁에는 식사 후에 일상의 대화를 나누다가 자기 전에 책을 읽어 주어야 한다. 미국의 부모들은 그렇게 아이들에게 매여서 산다. 그럼에도 불구하고 정작 아이에게 문제가 생겼을 때 관계가 나빠지는 경우가 많은데 그것은 결정적인 순간(defining moment)을 놓쳐서 그렇다.

진정한 사랑과 신뢰는 육체적으로 같이 산다고 해서 저절로 생기는 게 아니다. 연인 사이라도 처음에는 좋아서 어디든 붙어 다니지만 1~2년 지나면 말을 함부로 하고 떨어져 있어도 별로 그리워하지 않게 된다. 이때 두 사람 간에 신뢰 관계가 형성되어 있다면 문제가 없지만 그렇지 못하면 관계가 깨지고 만다.

아이들에게 아버지란 그림자 같은 존재다. 여섯 살 된 아이가 야구를 배워서 경기에 나가게 되었다. 이때 아버지가 동행했다. 아이는 경기 중에 실수를 했다거나 좀 잘했다고 생각되면 아버지를 쳐다본다. 그런데 이때 아버지가 아이를 지켜보지 않고 신문을 본다든지 전화 통화를 하고 있으면 아이는 몹시 실망한다. 몸은 같이 있어도 실은 같이 있는 게 아닌 것이다. 그렇게 같이 있으려면 아예 가지 않는 게 좋다.

자녀는 아버지가 없으면 아버지가 바쁘다고 생각하지만 같이 있으면서 관심을 안 보이면 자신을 사랑하지 않거나 무시한다고 생각한다. 그것이 더 큰 상처를 준다. 그래서 결정적인 전략이 필요하다.

아이가 어느 날 "아빠, 내가 이번에 콘서트를 하는데 아빠가 왔으면 좋겠어" 했다고 하자. 이때 "마침 출장 스케줄이 잡혀 있네? 하지만 너를 위해 스케줄을 조정해 볼게. 오더라도 아슬아슬하게 들어갈 것 같은데?" 했다면 무슨 일이 있어도 약속을 지켜야 한다. 아빠가 올 때까지 아이가 기다릴 것이기 때문이다.

이렇게 한 번 약속을 지키면 나중에 똑같은 일이 있어서 가지 못하는 일이 생겨도 아이들은 바쁜 아빠를 이해해 준다

나는 아이들이 학교에 중요한 행사가 있다고 말하면 무슨 일이 있어도 꼭 간다. 직원들이 할 말이 있다고 찾아왔을 때 아무리 바빠도 짧게라도 시간을 내어 이야기를 들어주는 것과 같은 이치다. 이렇게 몇 번 가면 아이들도 내가 바쁜 줄을 알기 때문에 웬만한 일에는 오라고 하지 않는다. 아이들이 중요하게 여기는 때에는 반드시 간다. 그런 결정적인 순간에 부모가 어떻게 반응했는가를 아이들은 굉장히 중요시 여기고 실제로 아이들의 성장과 정서 형성에 매우 큰 영향을 미친다.

내가 아는 한 기업가는 미국 CBMC(기독실업인회) 회장을 지낸 분인데, 그에겐 6명의 자녀가 있었다. 그런데 그 아이들을 데리고 매년 가족 휴가를 다녀오면 장난꾸러기인 아이들을 혼낸 기억밖에 없다고 했다. 그래서 방법을 생각해 낸 것이 일대일 여행이었다. 1년에 한 번이라도 아버지와 단 둘이 대화를 나누고 시간을 가지는 것이 훨씬 더 기억에 남고 관계 개선에 도움이 된다는 사실을 알게 된 것이다.

나 역시 그에게 배운 대로 두 딸과 따로 시간을 갖고 있다. 아이들도 그 시간을 좋아해서 무척이나 기다린다. 첫째 딸 크리스티나는 어렸을 때부터 운동을 좋아했다. 하지만 아이들이 어렸을 때는 형편이 넉넉지 못해서 야구만 보고 집에 들어왔다.

약간 여유가 생기면서부터는 낮에 좋아하는 것을 하고 어디든 데려가서 하룻밤을 자고 온다. 딸이다 보니 금요일에 수업이 끝나면 학교로 가서 픽업해 뉴욕 브로드웨이로 가서 연극이나 뮤지컬을 보고 하룻밤을 묵은 뒤 다음 날은 쇼핑하러 간다. 자기 전에는 간단하게나마 성경 공부를 하고 함께 기도한다. 그런 과정을 통해서 배우게 된 중요한 사실은, 신기하게도 단 둘이 있으면 아무리 어려도 대화가 가능하다는 것이다.

어떤 때는 두 아이의 관심사가 같아서 한 번 본 브로드웨이 쇼를 또 봐야 하는 일도 생긴다. 그러나 나는 절대로 봤다는 내색을 하지 않는다. 아이들이 내가 본 것을 알고 다른 것으로 바꾸자고 할 때도 나는 "그 시간은 쇼를 보는 시간이 아니고 너와 함께 있는 시간이니 괜찮다"고 말한다.

직원들과도 그 결정적 순간을 놓쳐선 안 된다. 그래서 나는 인사 담당자에게 "어려움이 있는 직원이 있으면 꼭 알려 달라"고 부탁한다. 사연을 알게 되면 불러서 이야기를 나누고 또 필요하면 기도도 해준다. 믿음이 없는 직원도 내가 기도해 주면 무척 좋아한다. 상황이 심각할수록 그 기억과 고마움은 오래간다. 자주 그런 시간을 갖지는 못해도 힘든 일일수록 관심을 가져 주면 직원들은 평생 잊지 못한다.

누가 이사를 한다, 누가 상을 당했다, 누가 어려움이 있었다는 말 뒤에는 꼭 이런 말이 들린다.

"그때 누가 정말 헌신적으로 도와주었다."

이런 말을 듣는 사람은 고객에게도 당연히 그렇게 한다. 그리고 그런 사람은 몇 년 뒤면 반드시 그 회사의 중역이 되어 있다. 그것이 바로 결정적 순간을 놓치지 않는 관계의 위력이자 어울림의 위력이다.

건축의 원리도 이와 같다. 건물은 혼자 아름다워서는 안 된다. 곁에 있는 수많은 건물들과도 교류하고 에너지를 주고받아야 하며 조화롭게 어울려야 한다.

내가 한 번도 본 적 없는 대통령의 지명으로 국립건축과학원의 이사 자리를 얻게 된 것도 이 관계의 미학에서 비롯된 것이다. 수십 년간 섬김과 희생으로 맺어 온 사람들이 나를 대통령에게 추천해 주었기에 가능한 일이었다.

경영 리더십과 프로젝트 리더십은 다르다

회사를 운영하는 리더십과 프로젝트 리더십은 많이 다르다. 회사 차원의 리더십은 모든 사람의 아이디어를 종합해서 사업을 결정하는 리더십이고, 프로젝트 리더십은 주어진 임무를 책임지고 끝내기 위한 리더십이다.

일을 잘해 내려면 중간 매니저들의 역할이 무척 중요하다. 그들이 하는 일 중에 가장 중요한 것은 후배 직원들을 도와주는 것이다. 그들은 후배 직원들을 돕기 위해 늘 자신의 시간을 대기시킨다. 고객과의 회의가 많기 때문에 밖에 있을 때가 많지만 사무실에 있을 때는 언제나 고민을 해결하러 오는 후배들에게 방해받기를 즐긴다.

그들은 늘 "언제든 무슨 문제든 가지고 와서 물으라"고 말한다. 바깥에 나가 회의를 하는 중에도 후배들이 전화하면 즉시 받아 문제를 해결해 준다. 또 하루 일과가 끝나면 밖에서 퇴근해도 되지만 굳이 사무실로 돌아와 기다리는 후배들과 일에 대해 대화를 나누고 최선의 방법을 찾는다. 심지어 주말에도 그들을 위해 사무실에 나온다. 항상 공사 마감일 전에 일이 끝나도록 미리 미리 과정을 확인하고 후배들이 맡은 일을 잘해 내도록 돕는다.

일뿐만 아니라 후배들의 개인적인 어려움에 대해서도 세심하게 배려한다. 언젠가 직원 중에 친척이 교통사고로 사망해서 장례식을 다녀와야 했다. 그때 우리는 "하던 일은 우리가 할 테니 잘 다녀오라" 하고 그의 일을 대신해 줬다. 평소에도 병원에 가거나 불가피한 외출을 하게 되는 경우 서로 배려하면서 일을 한다. 고객에 대해서만 엑스트라 마일을 실천하는 게 아니라 동료들을 위해서도 기꺼이 자신의 시간을 할애하는 것이다.

처음에는 우리 회사의 이런 분위기가 낯설지만 곧 익숙해진다. 다른 회사에서 일할 때 자기가 할 일만 하면 그만이던 사람들도 우리 회사에 오면 달라진다.

이렇듯 프로젝트를 중심으로 한 팀이 되어 서로 협력하여 프로젝트를 완수하도록 분위기를 이끌어 가는 것이 프로젝트 리더십의 가장 중요한 역할이다.

반면, 회사를 경영하는 리더십은 조금 다르다. 잠언 31장 14절에 "She brings her food from afar"라고 했다. 이는 "그녀는 양식을 구하러 멀리 간다"는 뜻도 되지만 모르는 것을 찾아낸다는 의미도 된다. 여기에 없다면 다른 데 가야 새로운 것이 발견된다. 미래를 알려면 세상에 나가서 봐야 한다. 이를 위해서는 첫째 협회 참석을 활발히 해야 한다. 많이 만나고 많이 보고 최신 트렌드와 테크놀로지를 접해야 한다.

건축도 트렌드가 중요하다. 30년 전만 해도 많은 사람들이 벽돌로 건축하는 걸 좋아했다. 하지만 요즘은 지역마다 선호하는 것이 다르다. 보스턴과 뉴욕, 필라델피아는 아직도 벽돌을 사랑하지만 남쪽으로 내려가면 벽돌보다 투명하고 개방적인 건물을 좋아한다.

또 옛날에는 문을 닫으면 내부가 전혀 보이지 않기를 원했지만, 요즘은 벽이 필요 없을 만큼 완전히 개방된 공간을 원한다. 이것은 사람들의 심리가 반영된 것이라 보는데, 문을 닫아걸면 어쩐지 밀실 정치나 암거래가 일어날 것으로 예상돼 거부감이 든다. 그래서 투명하고 개방된 공간을 좋아하는 것이다. 색깔이 들어가더라도 오픈해서 햇볕을 받아들이기를 원한다. 이것이 트렌드다. 이 흐름을 가장 먼저, 멀리 봐서 직원들에게 방향을 알려 주는 것이 경영 리더십의 핵심이다.

매니저들이 프로젝트 리더십으로 각 팀을 잘 이끌어 가다 보니 나는 주로 외부 미팅에 참여하고 5년 후, 10년 후의 건축 시장을 미리 예측해서 직원들과 함께 변화에 대비하는 경영 리더십에 전념할 수가 있다.

새로운 사업을 시작하거나 기존 사업의 내용을 바꿔야 할 필요를 느낄 때도 나는 일방적으로 결정해서 통보하지 않는다. 매니저들은 물론 모든 직원에게 이런 변화를 충분히 설명하고 그랬을 때 어떤 장점이 있는지를 이해시켜서 스스로 동참하도록 이끈다. 그래야 새로운 일을 시작했을 때 기대감도 있고 의욕도 높아서 성공률이 높다.

한편, 경영 리더십에는 시대나 유행을 초월해서 새로운 개념을 창조해 내는 능력이 필요하다. 나 역시 이 창조성을 잃지 않기 위해 외부로 자주 나간다. 혼자 나가기도 하고 가족과 나가기도 한다. 하나님이 창조하신 자연을 보면서 많은 영감을 얻기 때문이다. 바다의 수평선이나 산의 능선, 바닷가의 파도와 드넓은 해안을 보기를 좋아하는데 그렇게 하나님이 창조하신 자연을 가까이할수록 디자인은 더욱 심플해지고 본질에 가까워진다. 직원들에게도 하나님의 창조 원리를 예술적으로 표현하기를 주문한다.

나는 우리가 설계한 주차 빌딩을 보고 사람들이 "저건 팀하스 회사가 세운 것"이란 말을 듣기를 원한다. 비록 주차 빌딩이라도 최대한 아름답고 선한 정신을 불어넣으면 사람들의 눈길을 모을 수 있다고 믿는다. 그리고 그것이 창조라고 믿는다.

그런데 어떤 회사는 이 두 개의 리더십이 뒤바뀐 것을 본다. 이 경우 백발백중 경영 리더십에 문제가 있는 것이다. 경영자가 일일이 프로젝트에 관여하는 것인데, 그러면 매니저들에게 권한은 주지 않으면서 책임만 요구하게 된다. 이런 경우 대개는 프로젝트 매니저가 경영자가 결정해야 할 일에 끼어들어 불화를 만든다. 누군가는 그런 일을 해야 한다는 것을 알기 때문이다.

이렇게 리더십에 혼선이 빚어지면 직원들은 능력을 발휘할 수 없을뿐더러 의욕이 떨어져서 책임질 일도 떠안지 않으려 한다. 그러면 공동체에 대한 불신이 팽배해지고 좋은 인재들이 회사를 떠나게 된다.

진정한 경영 리더십은 프로젝트가 아니라 창조적인 변화를 얘기한다. 내 귀에 전해진 고객의 불만을 담당 직원에게 직접 전하는 대신, 언제나처럼 고객에게 고지식할 정도로 무조건적인 섬김과 헌신과 희생을 다할 것을 다시 한 번 강조한다. 회사의 수익을 높이자고 말하는 대신 '특별한' 회사로 만들자고 설득한다. 그리고 중역과 전 직원에게 그냥 결과를 만들어 내는 것 이상의 '무언가'를 이루어 내자고 말한다.

결과를 추궁하는 대신 자신의 열정에 대해 말하며 직원들과 한 사소한 약속도 반드시 지키고, 고객과 약속한 것은 아무리 큰 손해가 있어도 앞장서서 지킬 때 진정한 경영 리더십을 발휘하게 된다. 그런 리더는 개인의 이익과 성공만을 꿈꾸는 직원들을 변화시켜서 회사와 고객의 성공을 위해 한 발 더 나아가도록 만든다. 그리고 그 자신도 자신의 성공보다는 직원의 성공을 더 간절히 원한다.

이웃 사랑은 놀라운 축복의 열쇠다

사업을 시작하고 나서 하나님이 나에게 주신 가장 큰 복은 내 마음에 깃든 기쁨과 평강이다. 하나님을 두려워함으로 세상에서 한 발 뒤로 물러서 있으면서도 평안과 기쁨에 거하는 것이 가장 귀한 복이라고 생각한다. 많은 사람들은 하나님의 큰 역사를 경험하는 것이 축복이라 생각하지만 그것은 오래가지 않는다. 기쁨과 평안의 복은 내가 하나님께 붙어 있을 때 쏟아진다.

성경을 보면 베드로가 성령을 받고 나아갈 때 병자들이 낫는 기적이 일어났다. 이 기적을 보고 예수님을 믿는 사람들이 많아졌다. 하지만 이런 기적은 우리 믿음을 끝까지 지키지 못한다. 하나님이 역사하시는 현장에서 기적을 맛보는 일은 믿음의 과정일 뿐이지 전부가 아니다. 하나님께 붙어 있을 때 믿음을 지킬 수 있다.

믿음의 간증을 들어 보면 하나님께서 무엇을 해 주셨다는 이야기가 많다. 그렇다면 과연 가난하게 사는 사람들에게는 하나님의 축복이 없는 것일까?

구약에서 하나님은 아브라함과 이스라엘 백성에게 너는 내 자녀가 될 것이라고 말씀하셨다. 그들을 선택하신 것은 전적으로 하나님의 뜻이다. 그런데 예수님은 우리 모두가 선택받은 사람이라고 말씀하신다. 그 선택은 예수님의 희생을 통해 우리가 용서받았기에 이뤄진 것이다. 그러면 선택받은 우리는 무엇을 해야 하는가? 바로 순종이다.

나는 무슨 일이 있으면 그것이 하나님과 관련된 것인지, 사람의 의도인지를 분별하려고 애쓴다. 그리고 하나님과 관련된 일이라고 분별되면 무조건 한다. 국립건축과학원 이사로 지명됐을 때도 그것이 하나님이 하신 일이라 생각해서 수락할 수 있었다. 사실 국립건축과학원 활동을 하면서 이전보다 더 바빠졌다. 워싱턴에 1년에 4차례나 가야 하고 중요한 사안을 결정해야 하기 때문에 신경 쓸 일도 많다. 만나야 하는 사람도 늘었다. 하지만 하나님이 하신 일이니 순종했다.

하나님이 모세를 부르셨을 때 모세는 그 일을 하고 싶지 않왔으나 부르심임을 알고는 죽는 날까지 순종했다. 나는 일을 하다가 큰 부딪힘이 세 번 이상 반복되면 손을 터는데 모세는 끝까지 이겨 내고 순종하며 앞으로 나아갔다. 순종은 이처럼 하나님의 능력과 성령님을 의지하여 내 판단으로는 도무지 헤아릴 수 없는 그 끝을 향하여 달려가 그 상을 받는 것이다. 그 상은 물질적인 것일 수도 있지만 그보다는 내 마음에 넘치는 기쁨과 평강과 자유가 아닌가 한다. 그것은 세상이 줄 수도 없고 가져갈 수도 없고 어떤 것과도 바꿀 수도 없는 소중한 것이다.

나는 우리 회사가 얼마나 유명한 건물을 많이 지었는가, 내가 얼마나 많은 일을 해 냈는가에는 별로 관심이 없다. 그보다 내가 오늘 얼마나 유익한 만남을 가졌는가, 누구에게 도움이 되었는가에 더 관심이 많다. 그래서 가능하면 더 많은 이들과 관계 맺기를 원하고 나를 만나고 싶어 하는 사람들에게 더 많은 시간을 할애하고 싶다.

우리 회사가 어린이집을 시작한 것은, 어려운 이웃을 돕는다는 회사의 기본 정신을 실천하기 위해서였다. 먼저 지역의 어려운 분들이 아이들을 맡기고 마음 놓고 일할 수 있도록 돕고 싶었다. 그러다 보니 우리 회사 직원들도 아이들을 맡기게 되었다. 어떤 사람들은 우리가 어린이집을 운영하는 것을 두고 굳이 손해 볼 일을 왜 하느냐고 말한다. 물론 회사 수익을 위해 어린이집을 연 것은 아니다. 하지만 이웃을 위해 시작했더니 회사에도 도움이 되었다. 직원들이 자신의 아이들을 회사의 어린이집에 맡긴 뒤로 업무에 대한 의욕도 높아졌을 뿐 아니라 성과도 향상되었기 때문이다. 소문이 나면서 우리 회사 직원의 상당수가 아이들을 회사 어린이집에 데려온다. 그러면서 자연스럽게 회사에 대한 애착이 높아져서 직장 분위기가 한결 좋아졌다. 결국은 내가 얻은 것이 더 많은 것이다.

나는 회사 어린이집을 보면서 오병이어의 기적을 생각하곤 한다. 내가 내어 놓은 것은 겨우 보리떡 다섯 개와 물고기 두 마리뿐이었으나 하나님이 축복하시자 많은 이들을 먹이고도 열두 광주리가 남은 것이다. 명예도 축복도 다 나에게 돌아오지 않았는가.

그러고 보면 예수님이 우리에게 주신 새 계명, '하나님을 사랑하고 네 이웃을 네 몸과 같이 사랑하라'고 한 새 계명은 제자로서 지켜야 할 의무가 아니라 놀라운 축복의 관문이었던 것이다. 예수님은 우리를 살리기 위해 십자가에 달리셨을 뿐 아니라 우리를 축복하시려고 직접 이 세상에 내려오셔서 축복의 열쇠를 쥐어 주고 가신 것이다. 그러니 어느 기업이든 주님의 축복을 원하거든 '어려운 이웃을 돕는' 회사가 되기 위해 힘쓸 것을 권한다.

나는 물론 그런 걸 알고 시작한 것은 아니다. 그저 내 생명을 연장해 준 심장이 내 것이 아니며 그 심장이 나에게 오기까지는 다른 누군가의 죽음이 있었다는 사실에 대한 감사로 시작한 일이었다. 하지만 막상 실천에 옮겼을 때, 나는 내가 생각지도 못한 놀라운 축복의 주인공이 되었고, 나와 함께 팀하스에서 일하는 모든 직원이 이 축복을 공유하는 동시에 많은 이웃들에게 나눠 주고 있다.

바로 이것이 내가 '우리는 어려운 이들을 위해 존재한다'는 경영 정신으로 20년 동안 사업을 하면서 알게 된 유일하고도 놀라운 하나님 기업의 경영 비밀이다.

'하나님을 사랑하고
네 이웃을 네 몸과 같이 사랑하라'는
새 계명은 제자로서 지켜야 할 의무가 아니라
놀라운 축복의 관문이다.

epilogue

성경적 비즈니스 정신이 널리 전파되기를

마치 전쟁터에 나가는 병사처럼, 나는 지금도 심장이식을 받은 사람임을 말해 주는 표식을 목에 달고 다닌다. 이 목걸이는 혹시라도 내가 갑자기 심장에 이상이 생겨서 의식을 잃으면 누군가가 신속하게 응급 대처해 주기를 바라는 표식이기도 하다.

매일 아침 나는 샤워할 때마다 거울을 통해 이 목걸이를 보면서 나의 상태를 확인한다. 욕심이 생길 때마다 이 목걸이를 보면서 초심으로 돌아가곤 한다. 오늘도 하나님이 주신 새 삶에 감사하면서 겸손하게 이웃을 섬기고 남을 용서하며 살겠다고 다짐하며 하나님께 나를 의탁한다.

작년은 나에게 특별한 해였다. 나는 두 번째 심장 이상으로 쓰러졌을 때 히스기야의 심정으로 기도했다. 그런데 하나님께서 나를 긍휼히 여기사 은혜를 베푸셨고 그렇게 기적처럼 다시 살아났다. 작년은 그때로부터 꼭 15년이 되는 해였다.

나는 지금도 심장 거부 반응을 막기 위한 약을 먹는다. 그리고 동시에 혈압을 조절하고 콜레스테롤을 조절하는 약도 먹는다. 1년에 두세 번은 반드시 주치의와 만나 진료를 받아야 한다. 대개 심장이식수술을 받은 사람은 10년을 넘기기 어렵다고 한다. 하지만 나의 두 번째 심장은 벌써 15년이 되었다.

어쩌면 나는 평균 수명까지 살 수 있을지도 모른다. 하지만 그 어떤 것도 확실하지 않다. 나의 심장에 왜 이상이 생겼는지를 모르는 것처럼 나의 심장이 언제 다시 또 문제가 생길지 아무도 모른다. 때문에 나는 매 순간 주님의 은혜로 사는 시간임을 인정하지 않을 수가 없다. 앞으로 1년을 주시든 15년을 더 주시든 염려하지 않는다. 이제는 죽음을 이전보다는 쉽게 받아들일 수 있을 것 같다.

내가 죽기 싫었던 것은 가족과 이웃 때문이었다. 하지만 주님의 은혜로 15년을, 아니 20여 년을 산 지금, 더 이상 미련은 없다.

나의 이름을 높이는 삶은 의미가 없다. 나를 비우고 헌신하면서 인류를 위한, 다른 사람들을 위한 삶만이 존재 가치가 있다고 생각한다.

앞으로의 소망은 이제까지의 소망과 같다. 지금보다 조금만 더 하나님 뜻대로 살 수 있기를 희망한다. 우리 회사는 어려운 이웃을 도와주는 것을 지향하며 지금까지 왔다. 우리 회사가 걸어온 길이 다른 회사에 좋은 영향을 미치기를 원한다. 또한 우리를 통해 가르쳐 주신 성경적 비즈니스 정신이 다른 회사의 정신이 되어, 우리가 경험한 하나님의 축복이 그들의 비즈니스 현장에 나타나기를, 그래서 상상하지 못했던 그 기적들을 그들도 체험하기를 원한다.